Diogenes Taschenbuch 20001

Werkausgabe
in Einzelbänden

Band 1

Alfred Andersch

Die Kirschen der Freiheit

Ein Bericht

Diogenes

Die Erstausgabe erschien 1952

»Ich baue nur noch auf die Deserteure.«
André Gide, Journal, 11. Mai 1941

Kerpen (Eifel) – Kampen (Sylt)
Januar 1951 – Juni 1952

Inhalt

Der unsichtbare Kurs

Der Park zu Schleißheim

Weiß nicht mehr genau, in welche Jahreszeit die Münchner Räterepublik fiel. Ist ja leicht festzustellen. Frühjahr, glaub' ich. War, glaub' ich – mein' ich, wollen Sie sagen, würde K. sagen, glauben können Sie nur an Gott –, mein' ich also, ein dunkler, schmutziger Frühlingstag, an dem sie Menschen in langen Reihen die Leonrodstraße in München entlangführten, in Richtung auf das Oberwiesenfeld zu, um sie in den weiten Höfen, vor den Garagenwänden des ›Kraftverkehr Bayern‹ zu erschießen. Die erschossen werden sollten, hatten die Hände über den Kopf erhoben, vor Müdigkeit lagen die Hände lose gekrümmt auf den Köpfen, oder die eine Hand umschloß die andere am Gelenk. Lange Kolonnen, in unregelmäßigen Trupps, immer wieder kamen welche. Die anderen, die auf sie schießen würden, hatten die Gewehre im Anschlag. Sah das vom Balkon unserer Wohnung in einer Seitenstraße aus, aber verstand es damals noch nicht. »Das Gesindel«, hörte ich meinen Vater hinter mir sagen, denn die Räterepublik war zu Ende, aber dann zog er mich doch weg, vielleicht, weil ein Grausen ihn überfiel oder weil ein Wichtigtuer unten auf der Straße gerufen hatte: »Fenster zu! Es wird geschossen!« Sah damals mit meinem fünfjährigen Kindergesicht über die Brüstung des Balkons hinweg auf sie hinab, aber wußte noch nicht, daß sie zum Erschießen geführt wurden, daß ich keinen von ihnen jemals kennenlernen würde. Bin erst später dahintergekommen, vielleicht so mit vierzehn oder fünfzehn Jahren, um das Jahr 1928 etwa. Weiß noch, daß mich dann am meisten interessierte, zu erfahren, wie es einem zumute war, der einen anderen erschießen sollte. Nicht im Zorn – sondern der mit ihm eine lange Vorstadtstraße im dunklen Frühling entlangging, hatte Zeit, zu denken, daß er am Ende der Straße dem anderen das Leben auslöschen würde. So lange hält Zorn nicht vor. Was währt denn schon eine Straße lang? Die Dummheit, sich im Recht zu glauben? Der Befehl? Die Hetze? Der verwirrte Geist, der in anderen nur noch Gesindel sieht? Oder das gefällte Gewehr, das zur Entladung drängt? Der Blick, der sich schon den zusammenbrechenden Körper auf die Netzhaut zeichnet?

Versteh' jedenfalls nicht, warum der mit dem Gewehr nicht stehenbleibt, sich eine Zigarette anzündet und in den zwei Sekunden, die das Glimmen des Streichholzes dauert, dem nächsten, der mit erhobenen Händen darauf wartet, daß der Marsch in den Tod das Ziel erreicht, zuflüstert: »Da drüben – die Straße, in den ersten Hausgang! Hau ab!«

Gebe zu, daß mich solche Gedanken in der Zeit,

in der ich konfirmiert wurde, nur selten beschäftigten. In der übrigen Zeit lief meine Kindheit ab wie ein Uhrwerk. Wenn ich an sie denke, ergreift mich wieder das Gefühl der Langeweile, das mich umklammert hielt, als ich zwischen den charakterlosen Fassaden der bürgerlichen Miethäuser aufwuchs, aus denen der Münchner Stadtteil Neuhausen besteht. Meine damals schon bebrillten Augen blickten in eine Landschaft verwaschener Häuserfronten, toter Exerzierplätze, aus roten Ziegelwänden zusammengesetzter Kasernen; die Lacherschmied-Wiese war im Sommer ganz ausgedörrt, und die Rufe der Fußballspieler drangen matt in das Zimmer, in dem ich lustlos an den Schularbeiten saß. Noch heute, wenn ich nach München komme, kann ich der Lockung nicht widerstehen, mit der Trambahn zur Albrechtstraße zu fahren und, im Durchwandern der Straßen meiner Kindheit, das Gefühl faden Wartens noch einmal auszukosten, das mich als Knaben hier umgab. In der Eingangshalle des Wittelsbacher Gymnasiums konnten mich nur die Aquarien fesseln, die an den südlichen Fenstern standen, so daß die Sonne durch das grüne Wasser und das Gold der Fischleiber hindurchschien; ich wartete auf die Naturkunde-Stunden bei Professor Burckhardt, nicht weil mich das Fach interessierte, sondern weil mich der rothaarige, weißhäutige Mann anzog, der, wenn er das Klassenzimmer betrat, einen gereizten Blick aus den von schweren

Gläsern und buschigen weißen Brauen geschützten hellblauen Augen in die Runde warf, ehe er den Unterricht begann. Aber die empfindliche Geistigkeit von Burckhardts Unterricht war nur ein Intermezzo in einer Welt, die mich mit Überdruß erfüllte. Ich mußte das Gymnasium bereits am Ende der Untertertia verlassen; zwar erwarb ich mir in Deutsch und Geschichte die besten Noten, aber ich war – auch in meinem späteren Leben – niemals in der Lage, eine Sprache nach grammatikalischen Gesetzen zu erlernen oder mathematische Formeln zu verstehen, die über die einfachsten Rechenmethoden hinausgehen, ebensowenig wie es mir gegeben ist, philosophischen Gedankengängen folgen zu können, wenn sie sich in der Sprache begrifflicher Deduktionen vollziehen. Der schreiende Mißklang zwischen meiner Eins in Deutsch und meiner Fünf in Griechisch verleitete die in reinem Wissenschaftsdenken erzogenen Lehrer zu der Annahme, ich wolle nur das lernen, was ich lernen wolle. Sie hätten besser daran getan, einzusehen, daß ich überhaupt nichts ›lernen‹ wollte; was ich wollte, war: schauen, fühlen und begreifen.

Etwa ein Jahr vor meinem Austritt aus der höheren Schule bin ich in der lutherischen Christus-Kirche zu München-Neuhausen konfirmiert worden. Die Konfirmation ist für mich, wie jeder öffentliche Vorgang seither, nichts als eine peinliche Angelegenheit gewesen. Während ich an der Spitze des nach dem Alphabet geordneten Zuges der Konfirmanden durch eine Gasse zwischen der dunkelgekleideten Menge auf den im Kerzenlicht flimmernden Altar zuschritt, bemühte ich mich krampfhaft, eine feierliche Stimmung in mir zu erwecken. Es gelang mir nicht. Ohne rechtes Bewußtsein von dem sakramentalen Akt, an dem ich teilnahm, setzte ich einfach meine Gleichgültigkeit mit einem Anflug von Hohn gegen die weihevolle Rührung, die mir aus der Gemeinde wie eine klebrige Masse entgegenzufließen schien. Nicht einmal als Pfarrer Johannes Kreppel mir die Oblate auf die Zunge legte und den Kelch an die Lippen hob, bin ich über die reine Mechanik der Handlung hinausgekommen.

Das ist um so erstaunlicher, als dieser evangelische Diaspora-Geistliche für mich stets eine verehrungswürdige und machtvolle Persönlichkeit war. Von eher kleiner als großer Statur und heller, zarter, fast wächserner Haut, die ja immer ein Zeichen von Anfälligkeit für den Geist und von körperlicher Schutzlosigkeit ist – und tatsächlich ist Pfarrer Kreppel schon mit fünfzig Jahren an einer Lungenentzündung gestorben –, war sein Gesicht mit den lebensprühenden Augen dennoch ganz von protestantischem Trotz erfüllt. Er wurde der wichtigsten Bedingung seines Bekenntnisses gerecht, die mit dem Charakter, der es verkündet, steht und fällt. Die protestantische Revolution, die eine inhaltslos gewordene Priesterherrschaft fällen wollte, hat, allein durch die Bedeutung, die sie der Predigt im Gottesdienst zuerkennt, das Amt des Priesters zur höchsten persönlichen Würde erhoben. Ich habe später die lutherische Kirche verlassen und seither kein Bekenntnis zu einer anderen christlichen Konfession abgelegt. Die Antwort auf die Frage, ob ich dadurch das Sakrament der Taufe aufgehoben habe, überlasse ich den Theologen und meinem eigenen Gewissen.

Während ich dies niederschreibe, fällt mir auf, daß ich in den letzten Absätzen den Stil des unmittelbaren Erzählens eines Erlebnisses, mit dem ich begann, verlassen habe und mich der breiter gesponnenen Reflexion, des Periodenbaus und der harmonikalen Schönheit älterer Schulen bediene. Vielleicht deshalb, weil ich eine Zeit der Langeweile zu schildern hatte? Setzen wir also neu an!

Der Pfarrer Kreppel war nicht nur ein frommer, er war auch ein nationaler Mann. Deshalb wohl bewunderte ihn mein Vater, der zwar gläubig, vor allem anderen aber national gesinnt war. Mein Vater hatte die schwarzen Haare, die Adlernase, die goldumrandete, scharf funkelnde Brille und die rote, sich leicht erregende Haut eines feurigen Menschen. Während er die Gewerbe eines kleinbürgerlichen Kaufmanns und Zivilisten – Versicherungen, Immobilien und Derartiges – sehr mangelhaft betrieb, so daß die Familie immer tiefer in Schulden geriet, fühlte er sich in Wahrheit als jener Hauptmann der Reserve, als der er, mit Dekorationen und Verwundungen übersät, aus den Infanteriestellungen in den Vogesen zurückgekehrt war. Als er dem Zug, der ihn in den Münchner Hauptbahnhof brachte, entstieg, wurden ihm von Revolutionären die Achselstücke heruntergerissen. Er kam nach Hause, nicht nur ein geschlagener, sondern auch ein entehrter Held, und führte von da an ein halbmilitärisches Leben in Verbänden weiter, die ›Reichskriegsflagge‹ oder ›Deutschlands Erneuerung‹ hießen. Wenn man zu denen gehört, die den Hartmannsweilerkopf im Sturm genommen haben, wird man wohl unfähig zu begreifen, daß die geschichtlichen Entscheidungen nicht dort fallen, wo man durch ein Scherenfernrohr die feindlichen Stellungen ausspäht.

Immer wieder ging er fort, um geschlagen zurückzukehren. Ich entsinne mich noch des Morgens, an dem er aus dem Wirbel des Hitler-Putsches heimkehrte, nach kurzer Haft. Das war 1923. Darnach wurde er ein bedingungsloser Parteigänger des Generals Ludendorff. Eines Abends nahm er mich zu einem Fackelzug mit, der dem General dargebracht wurde. Die uniformierten Männer sammelten sich in einem Walde am Ufer der Isar und marschierten dann in langen Kolonnen bis zu einem Platz in der Nähe von Ludendorffs Haus. Dort standen sie lange im Karree, in einem von Kommandorufen zerstückelten Schweigen. Die gelbrot brennenden

Fackeln machten die Nacht und die Baumwipfel zu einer Faust, die sie umschlossen hielt. Ich stand im Glied neben meinem Vater, als Ludendorff sehr langsam die Front abschritt und mit einzelnen Männern sprach. Sein Gesicht mit den großen Flächen wirkte blockartig und löwenhaft, aber die helle Haut und das weiße Haar teilten dem entblößten Kopf auch etwas Empfindliches, Membranhaftes und Denkerisches mit. Man ahnte, daß diesem Haupte das Verschieben einer Division auf der Landkarte mehr war als nur eine technische Maßnahme. Der da vorbeiging – übrigens als einziger auf dem Platz als Zivilist – war ein Künstler des Schlachtfeldes.

Die Geschäfte gingen schlecht, indessen meines Vaters politisches Fieber zusammen mit seiner Zuckerkrankheit anstieg. Als ein Granatsplitter ausschwärte, den er noch im Bein trug, schloß sich die Wunde nicht mehr, und das Leiden warf ihn aufs Bett. Von meinem vierzehnten bis zu meinem sechzehnten Jahre wohnte ich dem Sterben meines Vaters bei. Ich sah die Zehen seines rechten Fußes vom Brand schwarz werden und sah, wie er ins Krankenhaus geschafft wurde, wo man ihm das rechte Bein abnahm. Wieder einmal kehrte er in unsere schon Spuren des Elends zeigende Kleinbürgerwohnung geschlagen zurück. Wenn ich das Klappern seiner Krücken hörte, wich ich in andere Zimmer aus, weil ich seine Reden, die stets um die Themen der nationalistischen Politik kreisten, nicht hören wollte.

Ich mußte zu den Händlern gehen, um die Lebensmittel, die wir brauchten, zu holen und anschreiben zu lassen. Als ich eines Tages in die Straße, in der wir wohnten, einbog, sah ich meinen Vater, auf seine Krücken gestützt, aus der Haustüre kommen. Ich sah die Einsamkeit, die ihn umgab. Er stand vor der Türe und blickte unentschlossen vor sich hin, ohne mich wahrzunehmen. Etwas fürchterlich Tragisches war um ihn; ich wußte, daß er kein Geld hatte und daß er nicht wußte, wohin er gehen sollte. Seine Bekannten hatten sich von dem armen Mann zurückgezogen, und auch wir, die Familie, hatten ihn im Geiste schon verlassen. Er wußte, daß meine Mutter Augenblicke hatte, in denen sie ihr Schicksal bis zum Überdruß erfüllte, und daß mein älterer Bruder und ich seine politischen Anschauungen nicht teilten. Sein Leben war zerstört, alle seine Pläne waren gescheitert, und sein Körper war dem Tode geweiht. In diesem Augenblick, als er sich unbeobachtet glaubte, war sein stolzes, männliches Gesicht von Leere und Trauer erfüllt, blicklos starrten seine Augen über den glatten Asphalt der Straße hinweg in den Abgrund der Jahre. Die Schultern über die Krücken geneigt, sah er den Plankenzaun einer Kohlenhandlung an und wußte, daß er keinen Pfennig in der Tasche hatte.

Ich lief, von diesem Anblick überwältigt, auf ihn

zu, um ihn zu stützen, ihm zu helfen, denn ich wußte, daß er einen seiner ersten Gehversuche nach der Amputation machte. Aber ich kam zu spät. Noch während ich lief, sah ich, wie er sich verfärbte, wie er die Krücken losließ und auf das Pflaster hinschlug. In seiner tiefen Ohnmacht lag er sehr still, und die Trauer seines Gesichts war auf einmal zur Ruhe gekommen; in der Erschöpfung enthüllte das Haupt aus gelbem Wachs eine Menschen-Natur, die sich aus Selbstlosigkeit einer politischen Idee verschrieben hatte und daran zugrunde ging. Mein Vater hatte kein Geld, weil er die Niederlage Deutschlands zu seiner eigenen gemacht hatte.

Von diesem Sturz hat er sich nie wieder erholt. Die notdürftig zum Schließen gebrachte Wunde seines Beinstumpfs brach auf und ging in Brand über, der nicht mehr zu heilen war. Er versank in eine zwei Jahre dauernde Agonie aus Morphiumräuschen und Schmerzanfällen. In den Nächten habe ich ihn, zwischen verzweifeltem Stöhnen, oft beten gehört. Er betete stets das alte Kirchenlied ›O Haupt voll Blut und Wunden‹, oder er sang diese Melodie aus der Matthäus-Passion mit blecherner Stimme, die gefärbt war von höchster Qual. Das waren die Augenblicke, in denen in meines Vaters Brust der Pfarrer Johannes Kreppel über den General Ludendorff siegte. Dann hörte ich, wie meine Mutter das Licht anzündete, aufstand und eine neue Morphiumspritze bereitete. Mein Vater wäre durchaus der Mann gewesen, diesem Leben selbst ein Ende zu bereiten. Aber dann wäre er nicht als ein ›hundertprozentig Kriegsbeschädigter‹ gestorben, wie es in der entsetzlichen Sprache des Versorgungswesens heißt, und meiner Mutter wäre nach seinem Tode keine Rente zugefallen. So nahm er es auf sich, unter der Geißel eines Grans Zucker, das sein Blut nicht ausscheiden konnte, dem Tode entgegengemartert zu werden.

Ich aber floh, wenn ich Zeit hatte. Fuhr oft mit dem Rad nach Schloß Schleißheim bei München, das von Neuhausen aus in einer knappen Stunde zu erreichen war. Hätte auch nach Nymphenburg fahren können, das unserer Wohnung viel näher lag, zog aber Schleißheim vor. Dort waren nur wenige Menschen. Das Schloß, nichts weiter als ein großes, festliches Haus, erhob sich, weiß und etwas verwahrlost, über die Bäume eines bayerischen Dorfplatzes. Man ging zur Linken durch eine Pforte im Eisengitter in den Park.

Kein Vergleich natürlich mit dem später erlebten Blick von der Terrasse in Versailles aus auf die seidige Wasserlandschaft, deren Horizont dem König ganz Frankreich zu Füßen legte. Da war nichts als eine mäßig breite Blumenfläche, geschwungene Petunien-Rabatten, und dann die große Allee aus alten Bäumen und Eichen- oder Buchsbaum-Hecken, die den stillen Wassergraben begleitete bis zu dem kleinen Gartenschloß im hinteren, schon ganz verwilderten Teil des Parks, nur ein Pavillon, der leer war, bis auf ein paar dunkle Jagdbilder, die an den verlassenen Wänden hingen. Merkwürdig, daß die Abgeschlossenheit eines Parks, eines weißen Schlosses, stiller Blumen mir das Gefühl einer verwunschenen Unendlichkeit mitteilen konnte. Ich fand, auf einer Bank im Park von Schleißheim sitzend, was ich an den Sonntagvormittagen, wenn der Eintritt frei war, auf den Bildern der Pinakothek suchte, im grünen Schmelz der Madonna Grecos, im Grau und Rosa einer Verkündigung Filippino Lippis, im klaren Traum-Venedig Canalettos – das Aroma der Kunst. Das perlhafte Weiß der Gartenfront des Schlosses drang in mich ein, während ich in den Gedichten Verlaines oder in Wolfensteins Rimbaud-Übertragungen las. Ich träumte wieder von der Unbekannten, die schon so oft im Traum vor mir gestanden, empfand A schwarz, E weiß, I rot, U grün, O blau, Vokale, im Blüten-Anblick drängend zu mir hergetrieben, und bildete mich auf diese Weise, wie man wird sagen können, autodidaktisch heran.

Vergaß so die Toten der Revolution, die Langeweile von Neuhausen, die Schulmisere, die Deklassiertheit meiner kleinbürgerlichen Familie, ja selbst das Stöhnen meines Vaters, und begann mein eigenes Leben, indem ich durch die Gitterpforte der Pubertät und des Schlosses zu Schleißheim in den Park der Literatur und der Ästhetik eintrat.

Verschüttetes Bier

Sah kürzlich einen dieser italienischen Filme (›Neo-Verismo‹) und hatte Vision, wie wir leben werden. Hauptsächlich nachts, improvisierte Räume, Ziegelsteine, schnelle Feuer aus Bretter-Abfall, weite zerfranste Jacketts, Schals, kleine Pistolen, zerbeultes Grammophon mit irgendwo aufgelesenem Konzert Bartóks für Saiteninstrumente, Schlagzeug und Celesta, und Ellingtons ›East St. Louis Doodle Doo‹ (ein Neger geht nachts durch eine Vorstadt von St. Louis und pfeift vor sich hin), Jerry, der Zehnjährige, steht Wache, und Lise rührt die beim letzten Überfall geholte Büchsenmilch an, für das saubere Fetzenbaby in der Ecke. Luxus: aus Bibliotheken, die man findet, holt man sich ein, zwei Sachen, Hemingways ›Death in the Afternoon‹ und Huizingas ›Herbst des Mittelalters‹ meinetwegen, das übrige bleibt liegen. Liebe: man erkennt sich mit ein paar Blicken, aber zart, das Schönste sind die dunklen Kastanienhaare von Topas und ihr Gesicht im Schein der Petroleumlampe, und mit ihr Hand in Hand spazierengehen, die Kirche St-Julien-le-Pauvre betrachten, halbwegs stehengeblieben und anmutig zwischen der gerösteten Architektur. Im allgemeinen: Bündnis sensibler Charaktere mit harter Unterwelt-Intelligenz – ein schweigen-

des Freikorps der Anarchie. Vorbereitende Zellen-
bildung schon jetzt nötig. »Bedenkt das Dunkel
und die große Kälte, in diesem Tale, das von Jam-
mer schallt.«

Ach, Odysseus, an den Mast gefesselt, den Lie-
dern der Sirenen lauschend. Und wir, auf Odyssee
durch das Jahrhundert, umtönt von den Klängen
der das Herz zerfleischenden Ideologien. Erzverrat:
sich losbinden lassen.

Am Mast bleiben, in der Nacht des Regens und
der Pfiffe ...

Etwas Bier war verschüttet worden, es bildete
einen Flecken auf der dunkelbraunen Tischplatte.
Ich paßte auf, daß die ›Rote Fahne‹, die ich las,
nicht feucht wurde. ›Paulanerbräu‹ stand an den
Wänden. Die Genossen saßen auf den Wirtshaus-
stühlen und unterhielten sich halblaut. Sie lausch-
ten auf die Geräusche von der Straße.

Die Bierflecken gefielen mir nicht; sie hatten gar
nichts mit den sauberen Lenin- und Upton-Sinclair-
Bänden zu tun, die ich mir jeden Monat kaufte,
wenn ich etwas Geld verdient hatte. Es war be-
drückend, hier zu sitzen und zu warten. Heini Suderland, der in jenen Tagen Pol-Leiter der KPD in
Neuhausen war und zum Bezirkskomitee gehörte,
hatte aufgehört, auf dem Klavier den ›Roten
Wedding‹ zu spielen. Mit seinen halbblinden Augen
las er ein Schriftstück; er hielt es ganz nahe an
sein Gesicht. Das Licht im Gasthaus ›Volkartshof‹

war trüb. Die meisten Genossen trugen schlechte Kleider, aber sie hatten gute Köpfe, und jeder von ihnen war ein Charakter für sich. Ich hatte Lenins ›Materialismus und Empiriokritizismus‹ gerade durch; alles war ganz klar: Bewegung war auch bloß Materie, und es gab keinen Gott. Nur die Bierflecken und das trübe Warten paßten nicht dazu.

Wenn die Türe aufging, kam ein Stoß kalter Luft in die Gaststube herein. Wir waren damals, im Beginn des Winters 1932/33, schon fast illegal. War ein halbes Jahr nach dem Tode meines Vaters in den Kommunistischen Jugendverband eingetreten. Hatte noch zu seinen Lebzeiten immer die von Münzenberg glänzend gemachte ›Arbeiter-Illustrierte-Zeitung‹ unter meiner Matratze verborgen. Ich betrat den Boden des Kommunismus mit dem gespannten Entzücken dessen, der zum erstenmal seinen Fuß auf einen jungfräulichen Kontinent setzt. Er bedeutete für mich das absolut Neue und Andere, und witternd sog ich das wilde Aroma von Leben ein, das mir half, mich aus meiner kleinbürgerlichen Umwelt zu befreien. Das Wort Revolution faszinierte mich. Mit der Schnelligkeit jähen Begreifens vollzog ich den Übertritt von den nationalistischen Doktrinen meines Vaters zu den Gedanken des Sozialismus, der Menschenliebe, der Befreiung der Unterdrückten, der Internationale und des militanten Defaitismus. Es begann, wie gesagt, mit der AIZ, die ich an den Zeitungsständen kaufte, und mit den Romanen Upton Sinclairs, die ich durch den Verlag bestellte, in dem ich als Lehrling arbeitete, nachdem ich aus dem Gymnasium ausgeschieden war. Sie tauchten meinen Geist in das Bad der Utopie; ich glaubte, daß man den Menschen durch rationale Willensakte ändern und so die Welt verbessern könne. Aber im Prozeß fortschreitender Erkundung des Geländes, in das ich eingedrungen war, begriff ich, wenn auch nur vage, die Oberflächlichkeit einer nichts als vernünftigen und mit dem Pathos der Humanität geladenen Begründung des Sozialismus, wie sie im Westen durch Liberale vom Schlage Rollands, Barbusses oder Sinclairs gegeben wurde. Dunkel erfaßte ich, was geschehen war, als Marx und Lenin, auf Hegel zurückgreifend, an die Stelle des mechanistischen Denkens das dialektische gesetzt hatten. Mein Bruder, auch konstitutionell ganz anders als ich, immer ein liebenswerter Romantiker und vertiefter Schwärmer, gewann sich damals die Formeln der Synthese von ›Preußentum und Sozialismus‹, von deutschem und russischem Geist. Er gehörte zu jener aktivistischen Jugend, die jedes Wort des Karl Radek auswendig wußte und sich von der Tiefe des Vergleichs zu der Schärfe der Unbedingtheit wandte, in ihrer soziologischen Unkenntnis nicht vermutend, daß der Opportunismus der kleinbürgerlichen Massen aus den Formeln der äußersten Konsequenz schon die Schlagworte der billigsten Lösung herausspürte und in Betracht zog.

Ich aber war stolz auf meinen die Unterscheidungen mit leidenschaftlicher Kälte treffenden Kopf. Machte damals die einzige kommunistische Buchhandlung in München ausfindig, ein Lädchen in der Humboldtstraße, wo ich die zahlreichen theoretischen Werke der Dritten Internationale und ihre Zeitschriften auf Raten kaufte und meine ersten Bekanntschaften machte. Überzeugt zu werden brauchte ich nicht mehr, ich war es bereits. Ich ließ mir nur mein Denken bestätigen, indem ich mich in die trockenen Wirtschaftsuntersuchungen Vargas, in Bucharins ›Dialektischen Materialismus‹ und in das Studium der Beschlüsse des Zentralkomitees vertiefte. Meine Gymnasiallehrer wären überrascht gewesen, wenn sie gesehen hätten, wie ich es mit einem Male vermochte, mich wissenschaftlicher Methodik hinzugeben. Aber wäre da nichts als Wissenschaft gewesen, es hätte mich nicht gereizt. Mein Tastsinn war es, der sich spannte; meine Nerven fühlten das faszinierend Unheimliche einer neuen, realistischen Scholastik, die sich mit dem Geiste der Revolution verband.

Ich wurde ein Funktionär. Mit achtzehn Jahren war ich, trotz meiner Herkunft als ›kleinbürgerlicher Intellektueller‹, bereits Organisationsleiter des kommunistischen Jugendverbandes von Südbayern.

Ich kann mich nicht mehr genau auf die Art von Hoffnung besinnen, die mich damals bewegt haben mag. Arbeitslos, wie Millionen in den Jahren der Weltwirtschaftskrise, war ich keinen Augenblick untätig. Mit meinen Genossen zusammen trat ich blaß aus dem Dunkel von Hinterzimmern, in denen wir Flugblätter vervielfältigt hatten, in die Wärme von Sommertagen. Unsere Konferenzen und Versammlungen dauerten lange, aber die Wirte, bei denen wir sie abhielten, machten uns keine Vorwürfe, wenn wir einen ganzen Tag lang nicht mehr bestellten als einen halben Liter Bier und dazu mitgebrachtes Brot aßen, denn auch sie waren in der Partei. Wieviel besser müssen unsere Reden und Debatten gewesen sein als die Realität, die wir schufen, denn es wurde immer dunkler um uns. Der Schatten, den die Flügel der Niederlage warfen, hatte uns schon erreicht. Oft ergriff mich in den Sitzungen der Bezirksleitung tiefe Melancholie. Ich betrachtete die Männer, die, praktische Maßnahmen des Tages besprechend – Versammlungen, Demonstrationen, Streik-Agitation, Flugblätter –, immer wieder scharfsinnige und tiefe Definitionen der Lage entwickelten. Aber ich besitze nicht die Gabe des Zweiten Gesichts, sonst hätte ich den Proletarier-Tod gesehen, den der tuberkulöse Stadtrat Josef Huber, ein früherer Schuster, nach schweren Hustenstößen in ein Fläschchen spuckte; oder den Geisel- und Rache-Tod, der den einstigen Metalldreher und jetzigen Parteisekretär Josef Götz in die Arrestzellen von Dachau führen würde, als der Leiter der

Partei, Hans Beimler, aus dem Lager geflüchtet war. Der aber saß mit seinem harten Schlosserge- sicht unter uns und ahnte ebensowenig wie ich von dem Soldaten- und Revolutionärs-Tod, der ihn einige Jahre später als Kommandeur der Brigade Thälmann in Madrid holen würde, in der Geschoß- garbe eines marokkanischen Maschinengewehrs. So saßen wir auf den harten Stühlen des Parteibüros in einem elenden Hinterhaus in der Ringseisstraße in München und sprachen mit ruhigen, betont lei- denschaftslosen Stimmen zueinander, in einem Jar- gon, den kaum sonst jemand verstand, der aber von der brennenden Kälte der Abstraktion förm- lich barst, und die typusbildende Macht Lenins hatte uns ergriffen. Denn die kleine, versprengte Partei in der bayerischen Diaspora, fern von den Kämp- fen in der Berliner Zentrale, war in sehr reiner Form eine Partei Lenins geblieben.

So begegnete ich mit siebzehn Jahren den Arbei- tern, und die Geistesmacht, die sie ausstrahlten, läßt mich blitzartig an die abgewetzte Lederjoppe Hans Beimlers denken, wenn ich heutzutage einen Kaufmann in zweireihigem Anzug und mit einem Teiggesicht das, was er Gedanken nennt, träge zwi- schen seinen Zähnen zerkauen sehe.

Aber was dann kam, war nicht die Revolution. Mit aufgerissenen Augen starrten wir der Nieder- lage in den dunklen Schlangenblick. An jenem Abend warteten wir auf einen Aufmarsch, den die

SA angekündigt hatte. Wir selbst unternahmen schon lange keine Demonstrationen mehr. Die kurzen, illegalen Stoß-Demonstrationen waren vom ZK als ›sektiererisch‹ verboten worden. Ich wunderte mich deshalb, als der Gebhard Jiru mich antippte und fragte:

»Du, woll'n ma was mach'n?«

Ich verstand sogleich. Jiru, ein kleiner Tscheche, aber so bayerisch sprechend wie wir alle, glänzend geschult, schwarz, durchtrieben und lustig, war der politische Leiter des Jugendverbandes. Wir waren aufeinander eingespielt.

»Wir sollen doch nicht«, antwortete ich.

»Ah geh, is doch eh schon wurscht«, meinte er. Wir hielten es nicht mehr aus.

»Meinetwegen«, sagte ich.

Wir verständigten flüsternd alle Jungens und die zwei oder drei Mädchen. Auf ein Zeichen rannten wir auf die Straße, formierten uns in Dreierreihen und marschierten durch ein paar Vorstadtstraßen. Wir trugen die rote Fahne mit uns und riefen Parolen wie: »Arbeiter, kämpft gegen die Notverordnungen!«, »Hinein in die KPD, die Partei der Arbeiterklasse!« und »Nieder mit den Hitlerfaschisten!« Nach ungefähr zehn Minuten hörten wir in der Ferne das Heulen der Überfallkommandos und stoben auseinander.

So sehe ich mich noch keuchend in irgendwelchen Hausgängen stehen. Die Erde hatte uns verschluckt, und die Polizei Brünings und Papens konnte niemand verhaften. Richtiger Umgang mit der Polizei gehört zum Training für die künftige Welt. Zweckmäßige Benutzung von Hauseingängen, Kenntnis der Anordnung von Fabrikhöfen, schattenhaftes Verschwinden in Treppenhäusern, Ausnutzen der Deckung durch Anlagen kann lebensnotwendig werden.

Aber als wir nach einer halben Stunde in die Wirtschaft zurückkehrten, sagte Suderland mit seiner dunklen Stimme vorwurfsvoll: »Hört's doch auf mit dem Schmarren!« Und er setzte hinzu: »Ihr habt's ja doch keine Massenbasis dabei!«

»Jedenfalls ham'ma bewies'n, daß mir noch da san«, antwortete ihm der Gebhard Jiru.

»Aber ihr gefährdet's doch nur die Genossen«, sagte Suderland matt, selbst nicht recht überzeugt. Wir schwiegen, keiner war da, der hätte antworten können, daß die Gefahr nicht im Dunkel jener Straßen wartete, wo wir uns bewegten wie Tiere auf der Wildbahn. Auch Gebhard wußte die Antwort noch nicht, obwohl er später genauso in Dachau sterben würde wie der Genosse Suderland.

Dann saßen wir wieder herum und bestellten Bier. Wenn die SA uns angriff, würden wir kämpfen. Aber nur ganz wenige von uns hatten wirklich gekämpft, ich meine: physisch. Ich unterhielt mich mit Schmeller, einem Musikstudenten, über die Hegelsche Dialektik. Die Formel These–Antithese–Synthese war ganz einfach zu begreifen. Man brauchte nur das Beispiel mit dem Ei heranzuziehen. Die Sprengung der Eierschalen war der bewaffnete Aufstand.

Plötzlich war es mir ziemlich klar, daß wir nie wieder so ruhig zusammensitzen würden in der Gaststube des ›Volkartshof‹ mit ihren Paulanerbräu-Plakaten an den Wänden. Nie wieder würde Suderland die letzten Beschlüsse des Zentralkomitees erläutern und die Funktionäre, die reden konnten, aufstehen und das Wort ergreifen, einer nach dem anderen. Am Straßen-Ausschank holten Kinder das Bier in Krügen für das Abendessen. Während draußen der kalte, trockene Winterwind um die Ecken der Arbeiterhäuser fuhr, las ich in den verschütteten Bierlachen die Nachricht von Tod und Einsamkeit. Aber ich wartete immer noch auf einen Boten, der laut verkündete, daß nun Ernst gemacht würde.

In diesem Augenblick hörten wir draußen das Getrappel eiliger Schritte, und dann flog die Türe auf, und Bertsch erschien in ihrem Rahmen. Wir fuhren hoch, denn das Gesicht des langen Hans Bertsch war völlig von Blut überströmt, und er schrie: »Die SA!« Er hatte eine Kopfwunde, und das Blut floß ihm über seinen abgeschabten grauen Wintermantel. Bischoff, der schon viel Bier getrunken hatte – es hieß, er sei der Leiter des verbotenen Roten Frontkämpferbundes –, brüllte:

»Mir nach!« Einige zogen Stahlruten und Schlagringe aus ihren Jacken und drängten mit ihm auf die Straße, obgleich Suderland schrie: »Ihr bleibt da!« Bertsch indessen stützte sich mühsam auf die Theke. Er war kalkweiß und blutrot im Gesicht, ein Metallarbeiter, der seit zwei Jahren stempelte, und das Gasthaus war dunkel, trüb, eine Münchner Arbeiterwirtschaft, Zellenlokal der KPD, mit Bierflecken auf den Tischen. Ehe wir Bertsch beisprangen, ging sein Blick durch uns hindurch und brach sich an den Fenstern, hinter denen sich die Dämmerung durch die Straßen der Jahre wand. Es war der gleiche Blick, den ich an meinem Vater beobachtet hatte, als er, auf seine Krücken gestützt, eine Weile unschlüssig vor der Haustüre stand, ehe er zusammenbrach.

Machte ich Ausbruchsversuche wie damals, als ich meinen Vater und Neuhausen nicht mehr ertrug? Arbeitete manchmal im Vertrieb der Kommunistischen Zeitung und bekam etwas Geld dafür. Gab es meiner Mutter, aber behielt doch zwei, drei Mark für mich, packte den Rucksack und setzte mich aufs Fahrrad. Zum Beispiel Kesselbergstraße. War man oben, lag der Walchensee vor einem, blaugrün, und dahinter die vordere Karwendelkette. Fuhr weiter, an der hellgrün und weiß schäumenden Isar entlang, über Wallgau die riesigen Kalkmauern des Gebirges, unerträglich blitzend unter dem kochend blauen Himmel. Fuhr solche Touren immer allein und ahnte die Möglichkeiten des Lebens, wußte, daß hinter dem Leben, das ich im Augenblick lebte, noch tausend andere Leben auf mich warteten. Kam nach Mittenwald, das war rosaschattig im Abend, geigenverhangen, glühend die Bergwand, die aus der Wiese stieg. Schlief dort und ging am nächsten Morgen durch den Wald steil hoch, siebzehn Jahre alt, kam aus dem Wald heraus, auf die Geröllhalden der westlichen Karwendelspitze. Wie lange lebte man denn? Dreißig, fünfzig, siebzig Jahre vielleicht. Mußte in dieser Zeit den Dschungel gesehen haben, die Wüste, die Kette des Himalaja, von Darjeeling aus, und die Türme von Manhattan. Wozu war einem sonst die Welt gegeben? Setzte mich auf einen grauen Stein und sah ins bayerische Tal hinab, aus dem sich die Schatten der Berge zurückzogen. Nichts war zu hören als die Rufe einer frühen Seilschaft aus den Wänden der Zwölferspitze. Fortgehen, dachte ich, während ich das Brot aus meinem Rucksack kramte, immer weiter gehen, alles zurücklassen, neue Berge, Ebenen, und die nie erblickte See.

Aber in der Nacht fuhr ich, die weiße, mondbeschienene Mauer des Gebirges im Rücken, nach München und zur Partei zurück.

In der Tasche geballt

Die Massen in den Straßen um das Münchner
Gewerkschaftshaus, an einem Tag im März
1933 – immer wieder wehrt sich etwas in mir
gegen das Wort ›Massen‹, denn ich vermute, daß
es sie gar nicht gibt. ›Massen‹, das ist nur ein
Wort aus dem konservativen Jargon, auch wenn
die Merkmale noch so fleißig zusammengetragen
werden. Indem ich sage: »die Massen«, sehe ich
mich schon allein in ihnen, mein Geist überfliegt
sie, meine Lippen krümmen sich zu einem Lächeln
verächtlichen Erkennens. Aber wenn es sie gibt, so
gehöre ich zu ihnen: einige Jahre später stand ich
am 9. November an der Briennerstraße zu München, als Adolf Hitler, in einer Wagenkolonne, vom
Hause seines Blutordens kommend, in Richtung des
Odeonsplatzes fuhr. Die Mauer aus Menschen stand
entlang seinem Wege, die Rufe pflanzten sich fort,
und als ich sein weißliches, schwammiges Gesicht
sah, mit dem schwarzen Haarstriemen in der Stirne,
mit dem feigen, lächelnden Betrüger-Ausdruck, das
Gesicht einer bleichen, abgewetzten Kanalratte, da
öffnete auch ich meinen Mund und schrie: »Heil!«
Und als die Menge sich zerstreute und ich wieder
ins Freie trat, in freien Raum um mich, da dachte
ich damals, wie ich es heute denke: Du hast einer

Kanalratte zugejubelt. Aber ich konnte darauf den Lenbachplatz entlanggehen und mich in die Auslagen der Buchhandlungen und Antiquitätengeschäfte vertiefen, in mein eigentliches Leben eintreten und alleine sein.

Ich werde den Liebhabern des Begriffes ›Massen‹ noch eine andere Geschichte erzählen, aus der sie sich ihre hochmütigen und elenden Schlüsse ziehen mögen. Als an jenem Märztag des Jahres 1933 das Gewerkschaftshaus von der SA besetzt wurde, standen die Arbeiter in den Straßen um das Gebäude. Ich weiß nicht, wer sie aufgerufen hatte, zu kommen: die Betriebsräte vielleicht oder das Gerücht, das an den Stempelstellen von Mund zu Mund ging. Sie standen vollständig schweigend bis zum Rande des Trottoirs, während auf der Straße, die sie frei gelassen hatten, manchmal eine SA-Kolonne vorbeimarschierte. Es kam wirklich kein Laut aus den Reihen der Menschen, die auf irgend etwas zu warten schienen. Als die Stunden vergingen, wurden die Bewegungen des Feindes immer geringer, ein grauer Nachmittag zog herauf, in dessen Märzlicht wir auf die leere Fahrbahn blickten. Dann näherte sich vom Gewerkschaftshaus her ein Motorradfahrer der SA. Er trug ein braunes Hemd, schwarze Breeches und einen schwarzen Sturzhelm. Aus irgendeinem Grunde verlor er plötzlich die Herrschaft über das Motorrad, er rutschte und schmetterte mit der Maschine zu Boden.

Dies wäre der Augenblick des Aufstandes gewesen, der Deutschland vielleicht ein anderes Gesicht gegeben hätte. Ich stand, die Arme an den Körper gepreßt, und fühlte, wie sich meine Hände zu Fäusten ballten. Jetzt eine kleine Bewegung nur, ein einziger Schrei, und alles käme in Gang: der prasselnde Regen von hundert Fäusten auf den Mann, der Sturmlauf zum besetzten Haus, das Knattern von Gewehrsalven, zusammenbrechende Körper, aber das Klirren von Fensterscheiben, die Eroberung, der Sieg, die Tat. Sicherlich, es wäre nur ein kleiner Sieg gewesen, eine rasch verwehende Tat, morgen ausgelöscht im Orkan der Niederlage – aber er hätte genügt, hätte den Staatsstreich in ein für alle sichtbares Blutbad verwandelt und den Schein der ›Ordnung‹ zerstört.

Aber ich stieß den Schrei nicht aus. Niemand. Der Fahrer stand auf, klopfte sich den Staub ab und richtete die Maschine wieder auf. Er untersuchte sie; sie funktionierte. Er setzte sich auf den Sattel, trat den Anlasser, der Motor sprang an, langsam fuhr er die Straße hinab. Sein Gesicht verriet nicht, ob er etwas von der Bedrohung ahnte, die ihn für Augenblicke umgeben hatte. Und dies war das Zeichen; wir gingen auseinander. Jeder für sich war wieder allein. Es gab keine Massen. Vielleicht hatte es früher einmal Massen gegeben, kollektiv gerichtete Willenskeile, Springfluten der Geschichte, Material für Aufstände, die glühende Lava von Revolutionen. Aber die Appelle der Geschichte sind verraucht. Es gibt nur noch einzelne, manchmal durch Zufall oder durch Zwang zu Mengen zusammengefügt, psychotischen Zuständen des Jubels oder des Fatalismus verfallend, und dann wieder heimkehrend, allein, in Zimmern sitzend, bei aufgedrehtem Radio, klapperndem Geschirr, Sirenengejohl, betend oder schweigend im dröhnenden Aufschlag der Bomben, die Zeitlosigkeit in der Geschichte ahnend, reduziert auf die Angst, die sie mit sich allein zu ertragen haben, die uns niemand abnimmt.

Am Abend sagte man den Reichstagsbrand durch und die Rede Görings, in der er die Verfolgungen ankündigte. Ich stand mit Jiru und ein paar anderen auf der Straße, und wir besprachen, was zu tun sei.

»Ich geh' nicht mehr heim«, sagte Jiru.

»Ich lasse es darauf ankommen«, antwortete ich.

»Morgen kommen sie!« Jiru zuckte mit den Schultern. Wir wußten es alle. Er sagte nicht, ich solle mich verstecken. Wir hatten jahrelang über die Illegalität geredet; jetzt hatte sie uns überfallen wie der Blitz aus heiterem Himmel. Wir hatten keine Waffen. Der Jugendverband zählte in München etwa tausend Mitglieder. Straff organisiert, durch die Kader der Partei ergänzt, mit einheitlichen Waffen versehen, hätten wir München in zwei Stunden in eine tobende Hölle verwandeln können. Ich klage niemanden an. Wir waren die Opfer einer deterministischen Philosophie geworden, welche die Freiheit des Willens leugnete. Wir redeten andauernd über die Massenbasis, die uns fehlte, ohne zu erkennen, daß uns die Arbeiter gefolgt wären, wenn wir uns zur Tat entschlossen hätten. Der Feind marschierte. Wir warteten auf den Befehl zur Aktion. Nein, wir warteten nicht einmal; wir wußten, daß die Partei keinen Befehl ausgeben würde. Die Kommunistische Partei nicht, die Sozialdemokratische Partei nicht, niemand. Die Republik, die schon lange im Sterben gelegen hatte, war endlich tot. Sie war daran gestorben, daß die bürgerliche Mitte sich den Gesprächsstoff vom Feinde hatte diktieren lassen und die Sozialdemokratie mit der bürgerlichen Mitte über die Argumente des Feindes debattierte. Und sie starb letzten Endes daran, daß die Kommunistische Partei den Gedanken der Willensfreiheit ablehnte, die Freiheit menschlichen Denkens, die Fähigkeit des Menschen, zu wählen. Niemand konnte die Gesetze der Dialektik so genau ergründen wie das Zentralkomitee der Kommunistischen Internationale. Seine historischen Vorhersagen waren von der Präzision eines Uhrwerks. Aber daß die Dialektik der Geschichte durch den Menschen geschaffen wird, war niemand so unfähig zu erkennen wie die Führer der Kommunistischen Partei.

Es gibt keine glänzendere Analyse als die marxistische. Es gibt keine elendere Aktion als die marxistische. Noch im Augenblick der Tat beschielt sie sich selbst – ob sie es ›richtig‹ macht, ob sie den Gesetzen folgt, die sie aufgestellt hat. Da die Kommunistische Partei auf dem Wege des Vergessens, der rauschhaften Zeugung von Geschichte, des spontanen Überflutens aller Dämme niemals zur Aktion kam, wählte sie folgerichtig den anderen Weg: sie fixierte ihr Bewußtsein in der Bürokratie und im Terror, sie transzendierte es in den kalten Traum von der Macht.

In einer nächtlichen Stunde, am 7. März 1933, auf der Kaufingerstraße in München, umbrandet von den Kampfliedern der SA, erlebten wir dumpf das Sterben einer Partei, der wir uns angeschlossen hatten, weil wir sie für spontan, frei, lebendig und revolutionär hielten. Wir ahnten noch nicht, daß die Partei, die später aus der Asche ihres Brandes auferstand, eine ganz andere sein würde: begabt mit dem Schlangenblick des Feindes, aber noch immer ohne seine Willensfreiheit. (Und wir sahen nicht voraus, daß auch der Feind unterlag, als er die Freiheit einschränkte; nicht die unsere, das stürzte ihn nicht, sondern seine eigene Freiheit, die er auf den ›arischen Menschen‹ einengte und an biologische Gesetze band.)

Gab dann Jiru die Hand und ging nach Hause. Ich habe ihn nie wieder gesehen. Schlief ein paar Stunden und war sofort hellwach, als die Beamten gegen sechs Uhr morgens klingelten und an die Türe schlugen. Während ich öffnen ging, schob meine Mutter die Mitgliederlisten des Jugendverbandes in den Ofen. Tatsächlich fanden sie bei mir nichts. Sie beschlagnahmten einen Teil meiner Bücher. Als der Inspektor meinen kleinen weißen Schrank mit den Büchern sah, schüttelte er den Kopf und sagte: »Wie man nur als gebildeter Mensch Kommunist sein kann!«

Ich glaubte, irgend etwas erwidern zu müssen, setzte zu einem aufklärenden Wort an. Da sagte der Mann, ein langjähriger Beamter der Republik, kein neu eingestellter Nationalsozialist: »Halten's Ihr Maul, sonst hau' ich Ihnen eine 'runter!«

In der Mitte zwischen ihm und einem uniformierten Polizisten ging ich in der Dunkelheit des Morgens die Leonrodstraße entlang zur Polizeiwache. Ich klage niemanden an. Ich war selbst Organisationsleiter der Kommunistischen Jugend. Aber ich hatte keine Deckadresse, bei der ich hätte untertauchen können. Ich entschuldige mich ein wenig mit meiner Jugend. Niemand von uns Jungen dachte an Grenzen. Wir waren niemals draußen gewesen. Der Gedanke an eine Flucht ins Ausland ist, so absurd das heute klingen mag, keinen Augenblick in unseren Gehirnen aufgetaucht. Gleich Hasen stürzten wir uns in den Kessel der Treibjagd.

Mein lumpiges Vierteljahr Haft zählt nicht gegen die zwölf Jahre, die viele meiner Genossen hinter dem Draht von Lagern verbrachten. Ich bin im Mai 1933 schon wieder aus dem Konzentrationslager Dachau entlassen worden, weil meine Mutter mit den Papieren meines Vaters die Gestapo belagerte und einen Gnadenerweis erwirkte, dem Andenken des um die nationalistische Sache so verdienten Mannes zu Ehren. Ein halbes Jahr später, als ich wiederum verhaftet wurde, hat mir die liebenswürdige Entschlossenheit meiner Mutter – sie ist mit der Unwiderstehlichkeit einer Österreicherin aus der alten Monarchie begabt – das Leben gerettet. Man hatte im September 1933 eine geheime kommunistische Druckerei ausgehoben, an deren Arbeit ich gar nicht beteiligt war; aber ich war auf die Liste der Razzia geraten. Meine illegale Arbeit hatte sich darauf beschränkt, die Kuriere, die das Zentralkomitee nach München sandte, in Empfang zu nehmen und an eine Deckadresse zu geleiten, die mir vorsichtig, über Mittelsmänner, gegeben worden war.

Als ich in den Stunden, die meiner zweiten Verhaftung folgten, auf der Holzpritsche in einer großen, überfüllten und stinkenden Zelle der Münchner Polizeidirektion lag, packte mich die Angst, die mich in der Haft-Zeit vorher, im Lager, niemals hatte antasten können. Um mich waren zwanzig, dreißig Menschen, ziemlich schweigsam, ein paar von ihnen waren aus Dachau hereingebracht worden, weil man sie zu Vernehmungen brauchte.

Sie sprachen nicht über das Lager, als ich sie fragte, wie es jetzt dort sei. Einer fragte mich: »Kommst du zum zweitenmal hin?«, und als ich nickte, sagte er: »Du kannst dich auf was gefaßt machen!« Ich zog mich zurück, ich wollte mit niemandem reden. Angstvoll betend lag ich auf der Pritsche.

Ich dachte an die Tage, die ich in Dachau verbrachte, entsann mich des Anblicks der hellen, langgestreckten Baracken aus Zement, in die manchmal, nach dem Appell, der SS-Mann Waldbauer hereingekommen war, um die Briefe einzusammeln, die er heimlich für uns aufgab. Er hatte gemeint, es würde wohl nicht so schlimm werden. Der lange, knochige, eisenharte Willi Franz, berühmter Bergsteiger, hatte sich damals noch nicht erhängt, aber er spielte bereits so schlecht Schach, daß ich ihn mit Leichtigkeit schlug. Wir legten das Brett immer auf einen Baumstumpf vor der Baracke. Eines Vormittags hatte man uns die Haare abgeschnitten. Das gab den Pessimisten Auftrieb, die behaupteten, wir würden lange Zeit im Lager bleiben. Einem jungen jüdischen Genossen hatte man die Haare nicht völlig abgeschnitten, sondern ihm drei Streifen von der Stirne zum Hinterhaupt durch sein dichtes schwarzes Haar rasiert. Wir sahen unsere kahlgeschorenen Köpfe an und zogen uns gegenseitig auf. Wir hatten die Situation noch immer nicht ganz begriffen.

Nachdem man uns die Haare abgeschnitten hatte,

erinnere ich mich, ließ uns der SS-Mann Steinbrenner im Stechschritt an einer Gruppe seiner Vorgesetzten vorbeimarschieren. Eines Abends, in den Baracken, kam die Meldung durch, Hans Beimler sei in das Lager eingeliefert worden. Zur gleichen Stunde war ein Transport von etwa hundert Juden aus Nürnberg angekommen; sie richteten sich gerade in ihrer Baracke ein. Die Juden würden nicht lange bleiben, dachten wir. Es waren lauter Kaufleute und Ärzte und Rechtsanwälte, Bourgeoisie. Sie konnten unmöglich unter uns bleiben. Bis jetzt waren nur wir Kommunisten im Lager gewesen. Die Juden sahen aus den Fenstern ihrer Baracke. Sie waren still und hatten gute Anzüge an. Um sechs Uhr holte man zwei von ihnen zum Wassertragen. Steinbrenner kam ins Lager und schrie: »Goldstein! Binswanger!« Sie mußten eine Wassertonne ergreifen und gingen mit Steinbrenner vors Tor.

An diesem Abend hörten wir zum erstenmal den Laut von Schüssen, die uns galten. Wir alle standen an der Mauer, an der Goldstein und Binswanger erschossen wurden. Der peitschende Knall überfiel uns, als wir zwischen den Baracken auf Brettern saßen und unsere Abendsuppe löffelten. Er ließ unsere Gespräche verstummen, aber die Suppe aßen wir zu Ende. Nur die Juden aßen nicht weiter; sie waren noch nicht so ausgehungert wie wir. Goldstein und Binswanger kamen nicht zurück, obgleich wir warteten und manchmal flüsternd nach ihnen fragten. Am nächsten Morgen standen wir im Karree. Die SS-Männer trugen lange graue Statuen-Mäntel im dunklen Nebel-April, und eine Stimme sagte über uns hinweg: »Auf der Flucht erschossen.« Die Leichen haben wir nicht gesehen.

Daran erinnerte ich mich, als ich, zum zweitenmal verhaftet, in der Zelle saß. Aber ich besaß nicht mehr das stoische und bedenkenlose Gefühl wie damals in Dachau, wo ich niemals Angst gehabt hatte, obwohl ich in die Strafkompanie eingereiht worden war. Jeder, der zur Strafkompanie gehörte, war rasch von einem Nimbus umgeben. Wir fühlten, daß wir eine Elite bildeten. Aber davon war jetzt nichts mehr übriggeblieben. An jenem Tage wäre ich zu jeder Aussage bereit gewesen, die man im Verhör von mir verlangt hätte. Man hätte mich nicht einmal zu schlagen brauchen. Man hat mich nie geschlagen; ich habe in dieser Hinsicht immer ein unverschämtes Glück gehabt.

(Hoffentlich verläßt es mich nicht in den Lagern, welche die Zukunft für mich, für uns bereithält. Ich klopfe dreimal gegen Holz, ich bin abergläubisch.)

Der Beamte, der mich vernahm, begnügte sich damit, mein Alibi festzustellen, was die Druckerei betraf. Dann entließ er mich. Als ich das Gebäude der Polizeidirektion verließ und unter die späte Sonne eines Münchner Septembertages trat, in deren Licht die graue Renaissance-Front der Michaels-Hofkirche auf der anderen Straßenseite eingesponnen war wie in ein silbernes Spinnennetz, wußte ich, daß ich meine Tätigkeit für die Kommunistische Partei beendet hatte.

Das Fährboot zu den Halligen

In den folgenden Jahren versuchte ich, die ganze Sache zu vergessen. Hatte schon im Lager einen kennengelernt, der mir flüsternd von Rilke sprach und Verszeilen aus dem ›Buch der Bilder‹ auswendig wußte. Das rief mir die Schleißheimer Stimmungen ins Gedächtnis zurück, die ich – wenn ich von den Karwendeltouren absehe – unterdrückt oder verloren hatte, während ich mit jungen Arbeitern der Augsburger Textilfabriken oder der Bayerischen Motoren-Werke die Probleme der zweckmäßigsten Streik-Taktik beriet. Nachher arbeitete ich auf kleineren Angestellten-Posten in Büros und machte an den Sonntagen Fahrrad-Wanderungen nach Rott am Inn, Ettal, der Wies und Dießen, wo ich die Interieurs von Barockkirchen besichtigte. Damals unterlegte ich meinem Dasein die Stimmungen Rilkes, machte auch Gedichte dieser Art und geriet, umklammert von einer versteckten Verfolgungsneurose, in tiefe Depression. Ich haßte die Arbeit, die mich jeden Morgen um acht Uhr vor den Kontenrahmen einer Verlagsbuchhandlung zwang, und ich ignorierte die Gesellschaft, die sich rings um mich als Organisationsform den totalen Staat errichtete. Der Ausweg, den ich wählte, hieß Kunst. Im ganzen war es eine ziemlich dünne Beschäftigung. Da eine Kunst, die mit der Gesellschaft zusammenhing, nicht möglich war, studierte ich die Fassade des Preysing-Palais und die Vokalsetzung in den ›Sonetten an Orpheus‹. Der Preis, den ich für die Emigration aus der Geschichte bezahlte, war hoch; höher als der, den ich leisten mußte, als ich mit der Kommunistischen Partei in der Geschichte gelebt hatte. Oder zahlt man nicht zu teuer, wenn man den Revolver vergißt, den einem der Brigadeführer Eicke angedroht hat für den Fall, daß man noch einmal nach Dachau käme – wenn man ihn wirklich und vollständig vergißt, um statt dessen im Schmelz der Lasuren Tiepolos die Wiederentdeckung der eigenen, verlorenen Seele zu feiern? Ich brachte dieses Kunststück fertig. Ich antwortete auf den totalen Staat mit der totalen Introversion.

Das war im Sinne Kierkegaards die ästhetische Existenz, marxistisch verstanden der Rückfall ins Kleinbürgertum, psychoanalysiert eine Krankheit als Folge des traumatischen Schocks, den der faschistische Staat bei mir erzeugt hatte. Nachträgliche Erklärungen sind niemals stichhaltig. Ich verzeichne den Prozeß der Introversion auch nur für Wissenschaftler, die am soziologischen Objekt der modernen Diktatur arbeiten. Einige von ihnen verwechseln sie mit Despotien alten Stils, etwa dem Zarismus. Sie lassen dabei die Rolle der Technik außer acht. Das technisch umfassend organisierte Gebilde aus Terror und Propaganda, der Planapparat neuen Systems, kann mit den Waffen des religiösen, humanistischen oder sozialistischen Widerstandes alter Art nicht bekämpft werden. Der illegale Flugblattdrucker oder Bombenwerfer ist, gemessen an der Gestapo oder dem Reichsministerium für Volksaufklärung und Propaganda, eine rührende Figur aus dem 19. Jahrhundert. Tatsächlich vollzieht sich die Aushöhlung des Systems durch die Technik, die es erzeugt: im fortschreitenden Ausfall oder Leerlauf der Rädchen. Indem der Diktator oder das diktatorisch arbeitende Management mit Massen rechnet, und das heißt: mit bei größerer oder kleinerer Verlustquote funktionierenden Arbeitseinheiten, setzt es den atomaren Zerfall der Massen in Gang. Eine mächtige, von niemandem gelenkte und stillschweigende Sabotage ist die Antwort, die der an der Maschine arbeitende oder über die Plan-Tabelle gebeugte, sich verschließende Mensch auf den totalen Appell gibt. So bot Deutschland in den letzten Jahren der Diktatur den Anblick eines Förderturms, in dem alle Räder frei rotierten, ohne die Transmissionen zu treiben, mit denen der Diktator die Geschichte bewegen wollte.

Aber welches Brackwasser der Gefühle, Ideen, Meinungen! Dumpfe, stillstehende Luft über dem allmählichen Einfalten der Seele. In meinem Falle also Kunstgeschichte statt Kunst, Versuche mit kalligraphischen Gebilden am Schreibtisch, Rilke-Lektüre, Blicke auf im Gegenlicht bläulich schimmernde Häuserblocks in München oder Rom. Sah die Welt als Vedute, durch das Grün irgendeines Parks in Entfernung gerückt und durch eigentümlich diffuses Licht nur schwach konturiert, Flaneur-Illusion vom Promenadeplatz bis zur Piazza Navona, von der Asamkirche bis San Miniato al Monte. Aber dazwischen doch manchmal große Momente: im magischen Weiß der Wände von Santa Maria in Cosmedin, im Anblick der umbrischen Berge von dem Hügel aus, auf dem Orvieto liegt. Musikalisches schoß ein: hob manchmal aus dem glänzenden Schwarz einer mit Tönen beschriebenen, sich drehenden Scheibe die perlig gehämmerten Synkopen zweier Klaviere, erste Ahnung des Jazz. Lernte Bücherschränke kennen und stöberte in Antiquariaten nach impressionistischen Autoren; aber wenn ich bei dem kleinen alten Herrn Fritzl saß, der immer von seinen Wachträumen sprach und mir seine Romantiker-Bibliothek zeigte, dann griff ich nicht nach E. T. A. Hoffmanns ›Goldenem Topf‹, in dem das nahrhafte Gericht kochte, sondern nach der lyrischen Schokolade. Dennoch: ich war der Kunst auf der Spur, begriff sie, wenn Falckenberg in den Kammerspielen ›Cymbeline‹ inszenierte, ein Magier, der die verdichtete Welt aus den Brunnen der Phantasie hob, und alle Elemente meines Daseins flossen mir, als ich die beiden Liebenden auf der Bühne liegen sah und ihren Traumgesprächen zuhörte, zu einem tiefen, angstvollen Lebensgefühl zusammen. Und noch heute denke ich, wenn ich im Theater sitze, in den Sekunden, ehe sich der Vorhang hebt, daran, daß ich eines Tages werde sterben müssen.

Habe eben ein bißchen meinen Stil von damals kopiert. Immerhin gab es Injektionen mit Gegengiften. Jemand brachte mich zu Dr. Herzfeld, einem hochgewachsenen, asthenischen, schwarzhaarigen Mann mit gebogener Nase und funkelnden Gläsern. Hörte an manchen Abenden im kleinen Kreis bei ihm Shakespeare. Er las gerade ›Antonius und Kleopatra‹ und interpretierte es, sehr sparsam, ein souveräner Verehrer der Schlegel-Tieckschen Übersetzung, faszinierter Hasser Goethes, indem er ein paar Formelemente aus dem Werk hervorhob, das wie ein tropisches Tierfell glühte. Erlebte bei Dr. Herzfeld zum erstenmal statt Ästhetik die Gespanntheit der Kunst, das, was mich selbst mit Unruhe erfüllte und Stimmungen hervorrief, die sich aus Ungeduld und Ekel mischten. Spleen. Herzfeld verkörperte die deutsch-romantische Ur-Figur, halb orientalischer Jude, halb preußischer Gardeoffizier, als der er den Ersten Weltkrieg mitgemacht hatte. Alles, nur kein Bohemien, sondern ein deutscher Künstler. Neben Shakespeare stand Kleist. Der Prinz von Homburg war sein tapfrer Vetter. Er selbst schrieb Märchen, in immer neuen, immer kahleren Fassungen, rücksichtslos entblößte er sie von

›Stimmung‹, so daß die Figuren immer sichtbarer wurden, rein gezeichnet, und plastisch projizierten sie sich in die Tiefe seiner Fabeln. Meisterwerke. Wo sind sie geblieben?

»Rilke?« fragte er und lachte verächtlich. »Der Erfinder des Konjunktivs!« Als ich widersprach, nahm er mich ins Verhör: »Was haben Sie denn überhaupt gelesen? Die Wahlverwandtschaften? Nein. Die Italienische Reise? Nein. Brentanos Godwi? Nein. An einem Wintermorgen vor Sonnenaufgang von Mörike? Nein. Den Briefwechsel zwischen Schiller und Goethe? Nein. Rankes Reformationsgeschichte? Nein. Fangen Sie doch einmal damit an! Lesen Sie einmal die sechs Bände der Reformationsgeschichte von Anfang bis Ende! Und dann auch noch die Geschichte der Päpste und die französische Geschichte. Damit Sie einen Begriff bekommen, was große Form ist!«

Niemals sagte er, ich solle mich bilden. Er meinte nur, man müsse Maßstäbe gewinnen. Als ich ihm meine Gedichte schickte, schrieb er mir: »Vergessen Sie nicht, daß es auch von Goethe nur allenfalls zwanzig, von Mörike nur vielleicht fünf wirklich vollendete Gedichte gibt. Es kann nicht Ihre Aufgabe sein, bei Ihren Jahren, in Ihrem Entwicklungsstande jetzt bereits Vollkommenes zu produzieren, da Sie noch die Eierschalen ungeeigneter Lehrer, zum Beispiel Rilkes, an sich haben. Über alle Ihre Gedichte ist zu sagen, daß ihnen Zucht und Arbeit, daher auch Können fehlt. Die Antwort, es ermangele Ihnen in dieser elenden Welt an Zeit, Sie seien von Ihrem Beruf aufgezehrt, ist gewiß wahr, aber ungültig gegenüber der Kunst. *Wie* Sie es machen, ist Ihre Aufgabe, *daß* Sie es machen, ist unerläßlich, nämlich, daß Sie lernen und arbeiten. Ihre Art, sich einfach lyrisch zu ergießen, ist höchst gefährlich; aber die Fähigkeit zum Erguß zu verlieren, wäre natürlich genauso gefährlich. Nur können Sie allein mit dem nichts erhoffen als günstigsten Falles ein zufälliges Meisterwerk. Wenn Sie aber wünschen, sich durchzubilden und das Vorzügliche zu produzieren auch in Nebenpartien, wodurch allein ein Kunstwerk aus der Masse von Literatur hervorragt, so müssen Sie nicht verschmähen, für das Erfühlte auch einmal den sogenannten Kunstverstand einzusetzen, das heißt: vom Baume der Erkenntnis zu essen, was gut und was schlecht ist.«

Die klassische Lehre, von einem Romantiker vorgetragen, der selbst an ihr litt, aber sie leidend meisterte.

So schlug ich denn Ranke auf, ohne Rilke zuzuklappen. Aber dann ging ich auch fort, aus dem barocken Gebirge in die frühzeitliche Ebene, aus dem halbmusischen Bücherwesen eines Verlages in die Hamburger Industrie. Die Fabrik war aus rotem Backstein, produzierte fotografische Papiere und bestand aus einem modernen Kontorgebäude und älteren Fabrikationsanlagen. Ich saß im obersten Stockwerk und entwarf Texte für Anzeigen, stellte sie mit Zeichnungen zusammen und gab sie in Druck. Dabei achtete ich darauf, daß die Anzeigen sich aus so wenigen Teilen wie möglich zusammensetzten. Das war schwierig, weil die Direktoren verlangten, daß sie alles mögliche enthalten sollten: außer der Zeichnung oder einem Foto möglichst noch eine Darstellung der Warenpackung, die Firmenmarke, Umrandungen und Schlagzeilen. Ich war froh, wenn es mir gelang, Entwürfe durchzusetzen, die außer Bild und Text nichts enthielten und in ausgewogenem Spiel von leeren und bedeckten Flächen sehr ruhig wirkten. Freilich müssen Bild und Text dann wirklich etwas zu sagen haben, mit der Ruhe allein ist es nicht getan. Offensichtlich meinten die Direktoren, daß der durch die Güte der Waren hervorgerufene Inhalt einer Anzeige wichtiger sei als ihre Form. Darin hatten sie recht. Sie konnten diesen Gedanken nur niemals formulieren. Trotz glänzender Propaganda befriedigte ja auch der Nationalsozialismus seine Konsumenten auf die Dauer nicht.

Neben meinem Büro befanden sich die Räume des wissenschaftlichen Laboratoriums der Firma. Mit Albert, dem technischen Direktor, verstand ich mich gut; er vertrug mein intellektuelles Interesse an den Sachaufgaben, die er anging, wenn er es auch manchmal belächelte. Das Laboratorium war klein; es beschäftigte nur drei oder vier Laboranten, aber es war das geistige Kristallisationszentrum des Werkes, und in ihm – ich verbrachte jede freie Minute dort – lernte ich das Wesen der wissenschaftlichen Arbeit kennen. Es bestand darin, jedes gewonnene Ergebnis immer wieder in Frage zu stellen. Die Tests endeten nie. Wenn Albert eine neue Emulsionsformel ausgearbeitet hatte, wurden unzählige Sensitometerstreifen geprüft, ehe das Rezept angenommen oder verworfen wurde. Ich beobachtete die Entwicklung der Streifen, und wenn mir die Gradation in ihren zarten Abstufungen völlig geglückt erschien – der lange blonde Cheflaborant Brandt wies mir immer wieder nach, daß davon noch keine Rede sein könne.

Ich mochte die Wissenschaft, die weißen Kittel, die Gläser, die chemischen Substanzen, die in rotes Licht getauchten Dunkelkammern. Keine Frage wurde hier je beantwortet, am allerwenigsten die nach dem Kern des fotografischen Prozesses, der Spaltung des Silberkristalls durch das auftreffende Licht. Aber auch wenn ich zusah, wie man Teilproblemen nachging, der Größe des Bromsilberkorns etwa und ihrem Einfluß auf die Abbildungsschärfe, der Anhäufung und Lagerung des Silbers in der Gelatineschicht, der Konsistenz des Rohstoffs und seiner Fähigkeit, das Licht zu reflektieren oder es versickern zu lassen, so erkannte ich alsbald, daß jede Lösung den Kern einer unlösbaren Substanz enthielt, und meine Studien reicherten sich mit Restbeständen aus Fragmenten, mit einem Bodensatz aus Ungeklärtem an, in dem sich der Überfluß meiner Gier, alles zu erfahren, als gärende, lebenspendende Masse niederschlug.

Stellte über das, was ich sah, manchmal Meditationen an und besprach sie mit Albert. Bewies das Silber nicht, daß es Materialien gab, die ein Fremdes, von außen auf sie Einwirkendes objektiv aufnehmen konnten? Von allen sonst bekannten Stoffen wird das Licht in reiner Unbewußtheit, in völliger Passivität aufgenommen; und sie verwandeln es in freie Handlung: in das Erblühen der Pflanze, ins Verwittern des Steins. Das Silber aber, welches mit bewußter Aktivität zur Darstellung drängt, verliert dabei seine eigene Natur, es wird zu nichts als zum passiven Träger eines Bildes. Unterschied es sich darin nicht auch von der Magie geschliffener Glasflächen, von der Mystik der Gewässer, welche die von ihnen gespiegelten Bilder immer wieder auszustreichen vermögen, deren magnetisch anziehender Reiz in der Vortäuschung wahrer Hingabe besteht, indes der Selbstaufgabe des fixierten Silbers auch das dem Wortsinn des ›Negativs‹ entsprechende Ergebnis folgt: die Langeweile der Fotografie?

Und ich wies, während ich so den Symbolismus betrieb, den ich aus der Literatur jener stagnierenden Jahre bezog, auf die Elbe, die drunten grau und endlos schimmerte und nicht das Geringste spiegeln konnte. Wir saßen auf einer Restaurant-Terrasse in Blankenese, Albert und ich.

Er lachte spöttisch. »Naturwissenschaftlich gesehen Blödsinn«, sagte er. »Das Silber macht gar nichts. Wir machen etwas mit ihm. Was du redest, ist Quatsch. Immerzu diese hohen Probleme! Wenn du ein echtes Verhältnis zur Wissenschaft hättest, würdest du dir ganz andere Fragen stellen, viel einfachere, meine ich. Weißt du zum Beispiel, warum die Hände sauber werden, wenn man sie mit Seife wäscht?«

Ich wußte es tatsächlich nicht und gab von da an der Symbolik eine aufs Maul, wenn sie sich in mir regte. Was ist denn der Symbolismus anderes als die feierliche Verkündigung des ästhetischen Bourgeois: irgendwelche Dinge symbolisieren irgend etwas? Dies bedeutet das. Es kann aber auch jenes bedeuten. So destilliert man aus dem Leben Begriffe. Die Eule ist das Symbol der Weisheit. Also redet man bedeutungsvoll von Eulen, wenn man der Mühe überhoben sein will, weise zu sein.

Aber die Szene wurde immer leerer, die Zeit verlor sich immer mehr ins trübe Licht. Albert starb während eines Tenniskampfes durch Herzschlag; am Vormittag hatte man ihm gesagt, daß er als Halbjude aus dem Werk, das er geschaffen, ausscheiden müsse. Er brach auf den Harvestehuder-Plätzen zusammen, im Seewind eines strahlenden

Tages, der über die Alster fuhr. 1938. Darnach machte es mir auch keinen Spaß mehr, in seinem Labor herumzupüttschern. Suchte das Meer auf, das ich nun endlich sah, grellblau hinter den roten Riesentürmen von Wismar, opalgrau jenseits der Deiche von Husum. Ich sah zu, wie das Fährboot nach den Halligen aus dem Hafen tuckerte, der nach Holz und Teer roch. Es gab keine Zeit mehr. Für mich nicht. Über der Kimmung, weit im Westen, zerging eine Wolke im Äther. Ich klemmte mein Buch unter den Arm und ging den Deich entlang, immer weiter weg von den letzten Häusern.

Die Fahnenflucht

Die Kameraden

Ziemlich genau fünf Jahre später, Pfingsten 1944, lief mein Leben endlich auf den Punkt zu, auf den es seinen für mich unsichtbaren Kurs gehalten hatte.

Ich war mir völlig im klaren, während ich auf der Brücke stand und rauchte. Die Zypressen, hinter denen das letzte Auto der zweiten Schwadron, ein Peugeot-LKW, verschwand, waren schwärzer als das Laubgewölk der Kastanien. Aber die Straße war weiß, von Mondlicht überflutet, und das Land, die südliche Arno-Ebene, war schimmernde Asche, Mondasche. Das ausgetrocknete Flußbett blaßte sein Geröll kreidig herauf.

Ich hatte den lehmbeschmierten Stahlhelm ans Koppel gehängt und den Karabiner von der Schulter genommen. Die Pfeife war glühend und lebendig. Aus der Ferne konnte ich den Lärm der Kolonnen auf der Küstenstraße, der Via Aurelia, hören, dünn dröhnend und gleichmäßig. Die Schwadron mußte gleich eintreffen. Der Oberleutnant hatte mich bis hierher zurückgebracht, nachdem der Quartierplatz bestimmt worden war, dann war er wieder auf dem Motorrad nach Süden gerast. Weil ich ein wenig Italienisch sprach, mußte ich immer mit dem Oberleutnant vorausfahren und nachher die Schwadron einweisen.

Eine Nacht wird kommen, dachte ich, in der ich allein sein werde, ohne auf jemanden warten zu brauchen. Endgültig allein. Allein und frei. Außer Gesetz und Befehl. Aufgenommen von der Nacht und der Wildnis der Freiheit. Vorsichtig mich bewegend, durchs Gras, unter Bäumen und Felsen. Indianerspiel. Wolken über mir. Stimmen in der Ferne. Geducktes Lauschen. Vorbei. Schlendernder Wanderschritt. Blumen. Freier Schlaf am Ginsterhügel. Rinnende Wasser. Stummer Tierblick. Eine Nacht, ein Tag, eine andere Nacht. Wer weiß? Nächte und Tage der Freiheit zwischen Gefangenschaft und Gefangenschaft.

Es klang romantisch, aber es war eine ganz klare und simple Sache. Mußte weg. Wußte es zum erstenmal ganz sicher, als ich auf der jütischen Heide lag, irgendwo bei Randers, versteckt im Heidekraut, und die Sturmgeschütze beobachtete, die auf uns zukamen, bei der Divisionsübung im März 1944. War ein tolles und herrliches Gefühl, wie ich da lag und es mir überlegte. Dänemark war ein gutes Land für solche Entschlüsse; wenn man in Aalborg im Café saß und den Regen draußen aufs Pflaster pladdern hörte, wenn man bei den Gefechtsübungen Posten stand und auf den See blickte, der zwischen den schweigsamen Heidehängen lag wie eine schlafende Kuh, dann trat die Freiheit in Gestalt einer jungen Blondine oder eines rüttelnden Habichts in mich ein. Aber sie brauchte nicht einmal Gestalt anzunehmen – sie war ganz einfach da, die Freiheit, in Dänemark.

Erinnerte mich auch an den Herbstabend drei Jahre zuvor, 1941, als mir, während ich in einem Truppentransport-Zug durch Thüringen fuhr, der Gedanke gekommen war, wegzugehen. Hatte in der Türe des Viehwaggons gehockt und die großen roten Bauernhöfe betrachtet, an denen der Zug im späten Licht vorbeitrieb. Aussteigen, hatte ich gedacht, und ins Land hineingehen, irgendwo in einem dieser Höfe oder in einem Gasthaus ein Zimmer mieten und dann bleiben, ein unbekannter Fremder, der unter Fremden Wohnung genommen hat. Ein Namenloser. In Uniform war das natürlich unmöglich. Überhaupt: eine Bücher-Idee. Undurchführbar. An den einsamsten Buchten der englischen Küste gab es Herbergen, in denen Fremde ankamen, seltsame Münze wechselten und sich Namen gaben wie: ›Der alte Bukanier‹, ›Der Blinde‹ oder ›Schwarzhund‹. Länder und Zeiten, in denen man leben konnte, ohne seinen Namen zu nennen. In Thüringen und 1941 war das ganz ausgeschlossen. Schon leere Bäume, noch farbige Bäume, am Zug entlanggeweht, im Herbst, in Thüringen, und dann hatte mich der Gedanke verlassen.

Aber in Dänemark stand er wieder neben mir, flüsternd, ein Schatten, den ich mit meinem Körper deckte, wenn ich lauernd im Heidekraut lag, indes die Panzer auf mich zukamen. Und wenn ich einen

Kiesel am Strande von Hobro auflas und in den Mariagerfjord hinausschleuderte, dann pfiff der Stein für mich die Worte ›Fahnenflucht‹ und ›Freiheit‹ über die Wellen, ehe er versank.

In der Nacht der Arno-Ebene aber brauchte der Gedanke nicht einmal mehr zu sprechen. Er schwieg. Er war zur Nacht und zur Brücke und zur Pfeife geworden. Die Dinge sprechen nicht. Die Dinge sind.

Es war eine ganz klare und simple Sache.

Ich hörte sie schon von weitem kommen, Stimmen, ein Lachen, ein Ruf, Klirren der Waffen und Räder. Ein Feldwebel, der an der Spitze fuhr, rief mich an: »Was ist los? Wie lange dauert diese Scheiße noch?«

Die Schwadron kam hinter ihm zum Stehen. Der Feldwebel war betrunken, der Unteroffizier neben ihm war betrunken, der Meldertrupp hinter den beiden, dem ich angehörte, war nüchtern.

»Fünfzig Kilometer noch, Oberfeld«, sagte ich. »Wir kommen gleich auf die Aurelia . . .«

»Verdammter Mist«, schimpfte er, »noch fuffzich Kilometer. Auf was für eine Rosalia kommen wir?«

»Auf die Küstenstraße. Die Schwadron bezieht fünfhundert Meter hinter einer Ortschaft namens Ravi Tagesquartier. Die Brücken-Umgehungen werden von der Feldpolizei eingewiesen. Die Brücken sind nämlich alle im Eimer.«

»Na schön«, sagte er, plötzlich nüchtern. »Haben wir keine Luftwaffe mehr?« Er gab das Zeichen zur Weiterfahrt. »Holen Sie Ihr Rad vom LKW und kommen Sie dann nach vorn!«

Es war Marscherleichterung befohlen worden, und sie hatten alle die Stahlhelme abgenommen, die Feldblusen aufgeknöpft und die Ärmel aufgerollt. Ich konnte ihre Gesichter sehen und ihre Haare, als sie vorbeifuhren. Die Nacht hatte ihre Haare dunkel gemacht und die Gesichter gleichmäßig hell, und nur, wenn einer blonde Haare hatte, schimmerten sie im Mondlicht. Sie fuhren gleichmäßig, aber manchmal mußte einer bremsen, weil er zu schnell gefahren war. Ihre Gesichter waren stumpf und auf die Kolonne gerichtet, aber noch nicht müde. Die Zugführer und Unteroffiziere waren betrunken, sie fuhren schwankend, aber schnell, von einer Straßenseite zur anderen, fingen sich aber vor den Gräben immer wieder auf. Die Soldaten ließen einen gleichmäßigen Abstand zwischen sich und den Betrunkenen, so daß die Kolonne nirgends abriß.

Sie hingen mir meterlang zum Hals heraus, die sogenannten Kameraden. Sie kotzten mich regelrecht an. Das Schlimmste an ihnen war, daß sie immer da waren. Kameradschaft – das bedeutete, daß man niemals allein war. Kameradschaft hieß, daß man niemals eine Tür hinter sich zumachen und allein sein konnte.

Die meisten von ihnen hatten bis vor zwei Tagen an den Sieg Hitlers geglaubt, bis zu der Stunde, in der wir in Carrara ausgeladen wurden und erfuhren, daß die Division in fünf Nachtfahrten an die Front geworfen werden sollte. Die Front befand sich damals noch südlich von Rom, und der Gegner – ihr Gegner, nicht der meine – setzte zum Durchbruch bei Nettuno und Cassino an. Aber das wußten wir nicht. Wir wußten nur, daß wir in Carrara, also noch nördlich des Arno, ausgeladen werden mußten, weil das Eisenbahnnetz von dort bis hinab nach Rom nicht mehr benutzbar war. Wir wußten, daß wir uns bei Tage nicht auf den Straßen blicken lassen konnten, auf keiner Straße der italienischen Halbinsel, weil die Luftwaffe des Gegners – ihres Gegners, nicht des meinen – von Bozen bis Syrakus frei operieren konnte und kein deutsches Flugzeug es wagen durfte, sich bei Tage am Himmel Italiens zu zeigen.

Die strategische Situation der 20. und der 21. Luftwaffen-Felddivision bestand darin, daß sie als voll ausgerüstete, halb motorisierte, mit Sturmgeschützabteilungen und taktischer Artillerie versehene, für den Bewegungskrieg ein Jahr lang in Belgien und Dänemark sorgfältig trainierte und aus jungen, von ihrer Aufgabe überzeugten Mannschaften bestehende Einheiten auf einem Schauplatz erschienen, auf dem die Truppen der Westmächte soeben eine Durchbruchsschlacht siegreich beendeten. Im Augenblick des Eintreffens der beiden Divisionen wußte die Führung der Südfront, daß Rom und Mittelitalien verloren waren. Ich weiß nicht, welche taktische Aufgabe der Generalfeldmarschall Kesselring den Divisionen ursprünglich zugedacht hatte; vielleicht wollte er sogar mit ihnen eine Offensive unternehmen (was ihm wohl niemals eingefallen wäre, wenn er damals noch so etwas wie eine Luftaufklärung gehabt hätte) – im Augenblick ihrer Ankunft jedenfalls blieb ihm nichts mehr übrig, als sie zur Deckung des Rückzuges zu verwenden. Aus diesem Grunde behielt er alle die für ihn sehr kostbaren schweren und mittelschweren Waffen der Divisionen am Arno zurück und warf lediglich die als ›Reiterschwadronen‹ geführten und mit Karabinern und leichten Maschinengewehren ausgerüsteten infanteristischen Teile der Regimenter in nächtlichen Eilmärschen nach Süden. Er verlor auf diese Weise zwei kampfstarke Divisionen, wie sie Deutschland damals kaum noch besaß, binnen drei Tagen, denn die Einheiten gerieten mitten in den fächerförmig gegen Viterbo und Grosseto sich entfaltenden Aufmarsch einer amerikanischen Panzerdivision (Heimat: Texas, taktisches Zeichen: roter Stierkopf in schwarzem Feld) und wurden von ihr, fast ohne daß von beiden Seiten ein Schuß fiel, einfach ›einkassiert‹.

Es ist dem Generalfeldmarschall Kesselring daraus kein Vorwurf zu machen. Im Gegenteil: seine Fehlentscheidung hat den meisten Soldaten der beiden Divisionen das Leben gerettet.

Doch muß ihm vorgeworfen werden, daß er sich

angesichts der Lage an der Südfront nicht in das Stabsquartier von General Mark Clark begab und um Verhandlungen zur Einstellung des Kampfes nachsuchte. (Der einzige deutsche Offizier, der es abgelehnt hat, die Marschallwürde aus der Hand Hitlers anzunehmen, ist der General Ludendorff gewesen. Doch dieser war – ich sagte es schon – ein Künstler des Schlachtfeldes. Er wußte noch, wann ein Feldzug verloren war.)

Irgend etwas war mit meinen sogenannten Kameraden natürlich seit der Ankunft vor zwei Tagen vor sich gegangen. Ich spürte das, während ich sie an mir vorbeiziehen ließ, in der Nacht, deren Mond fahles Licht auf sie warf. Während des Marsches waren sie stumpf und ausgehöhlt vor Müdigkeit, aber dennoch dachten sie an die Sturmgeschütze, die irgendwo bei Pisa zurückgeblieben waren. Es waren sehr schöne, neue Sturmgeschütze gewesen, und die Soldaten wußten nun, daß es keinen glänzenden, im Manöverstil vorgetragenen Angriff im Gefolge der Panzer, aus denen die langen Rohre ragten, geben würde. Es war schon so weit mit ihnen gekommen, daß sie tagsüber mit einer Art sachlicher und ästhetischer Bewunderung aus der Deckung heraus den nach Norden fliegenden amerikanischen Luftgeschwadern nachsahen. Ich weiß nicht, ob sie in jenen Tagen noch an den Sieg glaubten. Aber sie waren jedenfalls immer noch bereit, ihn herbeizuführen.

Ihretwegen etwa sollte ich nicht desertieren? Aus ›Kameradschaft‹ sollte ich ›beim Haufen bleiben‹? Es war zum Lachen. Sie machten mir den Abschied leicht. Ich lief mit einem herrlichen anarchistischen Gefühl in diesem Haufen herum. Ich wußte, daß sie in irgendeine Form der Vernichtung liefen. Ich wußte, daß ich ihre Vernichtung nicht teilen würde: entweder würde ich durchkommen oder mir eine besondere, allein mir gehörige Form der Vernichtung bereiten. Es gab keine Möglichkeit, darüber auch nur mit einem einzigen dieser ›Kameraden‹ zu sprechen – ich wäre nicht sicher gewesen, nicht angezeigt zu werden. Ich mußte das Wagnis vollständig auf eigene Faust unternehmen. Hätte ich wenigstens einen der jungen Männer ins Vertrauen ziehen können, so wäre der Ring des Hochmuts, der mich umgab, gesprengt gewesen. So hatte ich dieses wunderbare anarchistische und arrogante Gefühl. Ich maßte mir an, sowohl die Taten des Generalfeldmarschalls Kesselring als auch die Haltung der einfachen Soldaten meiner Umgebung beurteilen zu können. Es tut mir leid, dieses Gefühl auch heute nicht zurücknehmen zu können. Ich hatte die bessere Einschätzung der Lage.

Ich habe ein sehr schlechtes Namensgedächtnis, weshalb ich die Namen einiger Soldaten nicht mehr nennen kann, die ich jetzt eigentlich nennen müßte, weil ihr Widerspruch gegen das, was ich gesagt habe, von weit herkommt. Übrigens bin ich es, der ihren

Widerspruch ausspricht – sie selbst würden schweigen, so wie jener Gefreite, der niemals ein Wort sprach und keinen Dank verlangte, wenn er mit ein paar Handgriffen meinem Sturmgepäck, mit dessen ›Bau‹ ich unentwegt stille und erbitterte Kämpfe ausfocht, die vorschriftsmäßige Form verlieh. Längere Gespräche hatte ich hingegen mit einem Soldaten namens Werner, der wie ich Melder war und nach dem Kriege studieren wollte. Mit ihm unterhielt ich mich über Literatur und Kunst und gab ihm gedrängte kunstgeschichtliche Übersichten der Gegenden, durch die wir in den Nächten fuhren – so gut ich selber das wußte. Er hatte Sinn für kleine Abweichungen. Eines Morgens zum Beispiel, als Erschöpfung die Schwadron überwältigt hatte und sie sich in Gruppen und Einzelfahrer auflöste, deutete er auf ein bereits gemähtes Getreidefeld, auf dem das Korn in Hocken stand.

»Eigentlich könnten wir hier ein paar Stunden schlafen«, sagte er, »und am Vormittag den anderen nachfahren.«

»Aber die Flieger«, wandte ich ein. »Wir können uns am Tage auf der Straße kaum bewegen.«

»Ach was«, gab er mir zur Antwort, »wir sind doch nur zu zweit. Wir kommen schon durch.«

Wir schliefen sogleich ein, nachdem wir uns auf die Garbenbündel gelegt und mit Garbenbündeln zugedeckt hatten. Gegen zehn Uhr erwachten wir mit leichten Kopfschmerzen nach unruhigem Schlaf. Wir sahen blinzelnd zum Himmel auf, der vom Brummen der Flugzeuge erfüllt war, jedoch sehr fern, es war keine Maschine zu sehen. Wir griffen nach unseren Fahrrädern. Die Sonne stieß uns mit Kolbenschlägen von Hitze vor sich her. Die Straße war völlig verlassen. Wir befanden uns in der Maremmen-Ebene, die von einem Flußlauf unterbrochen war, über den eine Notbrücke führte. Gerade als wir auf der Brücke anlangten, hörten wir die Flugzeuge. Wir konnten nicht sehen, wie nahe sie sich befanden, weil hohe Bäume die Aussicht verdeckten. »Macht, daß ihr von der Brücke 'runterkommt!« schrie uns ein Pionier zu, der als Posten aufgestellt war. Wir fuhren, so rasch wir konnten. Dann sahen wir eine Kette von Lightnings und warfen uns in den Straßengraben, rissen die Stahlhelme vom Koppel und bedeckten den Kopf damit. Während wir dachten: Hoffentlich sehen sie unsere Fahrräder nicht, atmeten wir den feuchten Erd- und Grasgeruch des Straßengrabens ein. Aber die Flugzeuge – will sagen: die Männer, die in den Flugzeugen saßen – hatten es auf die Brücke abgesehen, und sie legten ihre Bomben so, daß sie auf den jenseitigen Straßenabschnitt fielen. Wir sahen die Kette der Rauch- und Erdfontänen und atmeten erleichtert auf. Wir blieben noch lange im Graben liegen, nachdem die Gefahr vorbei war: von der Hitze in die Apathie der Erschöpfung getrieben, genossen wir das erzwungene Stilliegen. »Auf! Weiter!« stieß Werner nach einiger Zeit hervor, und wir erhoben uns mühsam.

Es gab also doch die ›Kameraden‹. Man konnte mit ihnen über Kunst reden und in Straßengräben Deckung beziehen. Sie halfen beim Bau des Gepäcks oder bei Radreparaturen, liehen mir Mündungsschoner und organisierten Zusatzverpflegung. Man schob Wache zusammen, und man trank gemeinsam den Wein, den man aufstöberte. (Er war schon rar damals, die Armeen hatten Italien leergesoffen, und einer geschlagenen Armee gibt niemand gerne zu trinken.)

Vielleicht – so überlege ich seitdem – hätte ich das scheinbar Unmögliche versuchen sollen, einen von ihnen auf meine Seite zu ziehen, ihn zu bewegen, mit mir zu kommen, die Probe des Vertrauens zu machen, den Gedanken der Freiheit in das Herz wenigstens eines einzigen zu säen? Vielleicht in das Herz Werners? Am Tage nach jener Fahrt durch die Maremmen begann ich meine Flucht, und es fügte sich, daß Werner mir dabei zusah. Er sah mir zu und ahnte wohl, was ich vorhatte, und schwieg. Hätte ich sein Schweigen mit meinen Worten aufbrechen sollen? Sein Gesicht schloß sich zu, während er mich beobachtete. Ach, ich hätte ihn nur zu einer Tat veranlaßt, die nicht *seine* Tat gewesen wäre. Es wäre eine von mir ausgeliehene Tat gewesen.

Ich werde es hoffentlich stets ablehnen, Menschen überzeugen zu wollen. Man kann nur versuchen, ihnen die Möglichkeiten zu zeigen, aus denen sie wählen können. Schon das ist anmaßend genug, denn wer kennt die Möglichkeiten, die der andere hat? Der andere ist nicht nur der Mitmensch, sondern auch der ganz andere, den man niemals erkennen kann. Außer, man liebte ihn. Ich habe meine Kameraden nicht geliebt. Deshalb habe ich niemals den Versuch gemacht, sie zu überzeugen.

Ich tue es auch heute nicht und nicht mit diesem Buch. Mein Buch hat lediglich die Aufgabe, darzustellen, daß ich, einem unsichtbaren Kurs folgend, in einem bestimmten Augenblick die Tat gewählt habe, die meinem Leben Sinn verlieh und von da an zur Achse wurde, um die sich das Rad meines Seins dreht. Dieses Buch will nichts als die Wahrheit sagen, eine ganz private und subjektive Wahrheit. Aber ich bin überzeugt, daß jede private und subjektive Wahrheit, wenn sie nur wirklich wahr ist, zur Erkenntnis der objektiven Wahrheit beiträgt.

Kein Gedanke daran, daß ich das alles so überlegte, wie ich es jetzt niederschreibe, als ich damals die Kolonne an mir vorbeifahren sah und dann den Küchen-LKW anhielt, um mir mein Fahrrad und das Sturmgepäck herunterreichen zu lassen. Einer von den Küchenbullen gab es mir herunter, und darnach stand ich wieder einen Augenblick lang allein auf der Straße, befestigte das Gepäck auf

meinem Träger und prüfte die Reifen. Nein, überlegte das niemals so, hatte aber mein Anarchie-Ge-
fühl, mein jütisches Heide- und Thüringer Herbst-
und italienisches Mondnacht-Gefühl, dachte immerzu an die Wildnis, an Wolken, Stimmen in der
Ferne, geducktes Lauschen, freien Schlaf am Ginsterhügel, stummen Tierblick und die Sekunde der
Freiheit zwischen Gefangenschaft und Gefangenschaft.

Und außerdem war ich mir über meine politische
Situation im klaren.

Sie hatten meine revolutionäre Jugend erstickt.
Sie hatten mich ins Konzentrationslager gesperrt,
aus dem ich selbst zwar mit einem blauen Auge
entkam, aber nicht die Genossen meiner Jugend und
einer Revolution, die in ihrem Wesen und ihren
Absichten eine reine Jugend und eine reine Revolution gewesen waren. Sie hatten Gebhard Jiru und
Josef Götz und Willi Franz und Josef Huber in
Dachau und Hans Beimler in Spanien getötet, und
diese Namen mögen für die ganze Elite der deutschen Kommunistischen Partei stehen, die sie getötet haben, während ihre eigene Elite, die Elite
der Nationalsozialistischen Partei, noch immer am
Leben ist. Was von der Kommunistischen Partei
übrigblieb, das waren einige wenige aus der Elite
und die ›Apparatschiks‹. Die wenigen fielen in
Spanien und – Gott sei's geklagt, denn es gibt
niemanden, bei dem man sonst klagen könnte –

in Rußland. So haben sie die Kommunistische Partei verdorben und sie aus einer Partei der Freiheit und der Revolution zu einer Partei der Apparatschiks, des Glaubens an einen Führer und der faschistischen Kampfmethoden gemacht. Das war freilich nur möglich, weil die Partei schon vorher eine Lehre angenommen hatte, welche die Freiheit des Menschen, zu wählen, leugnete. Aber sie erst haben durch ihren Terror dieser falschen Lehre eine scheinbare Wahrheit verliehen, so daß die Lebendigen in der Partei sich dem Terror des Dogmas beugen mußten.

Ich konnte meine Kameraden nicht lieben, weil ich die Genossen liebte, die von denen getötet worden waren, für die meine Kameraden kämpften. (Das war eine Form, meinen Genossen die Treue zu halten.) Indem sie die Partei verdarben, haben sie dem Kampf meiner Jugend seinen Sinn genommen und mich in die Introversion getrieben. Ich lebte auf der Hallig meiner Seele, als säße ich jahrelang auf dem Klosett. Ich hatte nur die Ästhetik der Kunst und mein Privatleben, und das zerstörten sie durch Gestellungsbefehle. Für sie die Waffen erheben? Für sie ein Gewehr gegen die Soldaten von Armeen abfeuern, die vielleicht – eine schwache Hoffnung belebte mich bei diesem Gedanken – in der Lage waren, mein Leben zu ändern? Schon die bloße Erwägung war eine Absurdität.

Ich zog also aus meiner politischen Situation die

Konsequenzen. Ich hatte keine Ahnung, daß sechs Wochen später eine Bombe in der Nähe Hitlers explodieren würde. Mein ganz kleiner privater 20. Juli fand bereits am 6. Juni statt. Ich nahm mir die Freiheit, die mir sogar der kluge General Speidel – Inaugurator jener von freiheitlichen Reden und die Freiheit verachtenden Handlungen bereits wie von einer Sage umwitterten deutschen Divisionen des neuesten historischen Augenblicks –, der, sage ich, sonst überaus treffliche General Speidel, verweigern will, wenn er in seinem Buche über die Invasion schreibt: »Es war ihm« – er meint den Marschall Rommel – »klar, daß zu einer solchen Tat« – er meint ein Waffenstillstandsangebot an die Westmächte, also die Desertion – »und zur metaphysischen Verantwortung nur der oberste militärische Führer befähigt, berechtigt und verpflichtet sein konnte, nicht der einzelne Soldat und Offizier, der solch hohe Einsicht nicht besitzen konnte.«

Ich, obwohl nur ein »einzelner Soldat«, besaß »solch hohe Einsicht« samt dazugehöriger metaphysischer als auch rationaler Verantwortung. Und außerdem mein Wildnis-Gefühl. Gleich dem Haupte des Zeus die Pallas Athene – um mich einmal jener in Militärkreisen ebenso beliebten wie abgedroschenen Metaphorik zu bedienen – entsprang dem meinen der Gedanke der Fahnenflucht. Oder mit anderen Worten: Ich hatte beschlossen, davonzulaufen. Es war eine klare Sache.

Aber würde sie gelingen?

Ich prüfte also die Reifen meines Fahrrades nach. Sie waren in Ordnung. Ich saß auf und empfand das Rollen der Räder unter mir angenehm. Die Schwadron fuhr ziemlich schnell, und ich mußte scharf treten, um sie einzuholen. Als die Kolonne in die Küstenstraße einbog, hatte ich Werner, vorne beim Meldertrupp, erreicht.

Der nächtliche Rückzug schäumte uns entgegen, die Straße entlang, die Via Aurelia. Das Ligurische Meer war ein glänzender Silberschild unterm Vollmond. Nur Nächte können so knochenbleich hell sein. So beinbleich hell, vom Mondlicht überstrichen, flach, mit riesigen Schlagschatten, aber tief, blaudunkel tief, wo im blaudunklen Laub der Bäume süß der Akazienduft strich.

Und der vollmondige, akazienduftende Feldzug raste die Straße entlang, mit Mond und Staub die Aurelia entlang, im donnernden Gedröhn der Kolonnen, im wilden, aufreizenden Knirschen der Raupenketten, im fliegenden Haar der Männer, die in den Luken der Panzer standen, in ihrem fliegenden, monddurchwehten Haar und ihren Gesichtern, die dunkel nach Norden blickten, im staubig erstickten Schrei der Kommando-Rufe, erstickt im verwehten Triumph der Staubfahnen, im mondbleich dahinwehenden Staubfahnen-Triumph der Südarmee, der geschlagenen.

»Tiger-Panzer«, sagte Werner zu mir, im gleitenden Geisterhuschen, im schwachen Geklapper der Schwadron. Er nickte mit dem bleichen Mond- und Staubgesicht, mit dem schwarzen Schatten der Nase und des Kinns, nickte in den hohen Mond.

»Tiger-Panzer«, sagte er, und ich: »Sturmgeschütze«, und er: »Motorisierte Infanterie«, und ich: »Pak«, und er: »Pioniere«, und ich: »Ari«. Die Stahlhelme, die an den Lenkstangen hingen, klapperten leise im weichen Rollen der Räder, im gleichmäßigen Geistertaumel der Marschordnung, die dem Rückzug zwischen dem leuchtenden Meer und dem dunklen Dröhnen der Kolonnen entgegenfuhr, von Akazienduft umspült.

»Sie nehmen alles zurück«, sagte Werner.

»Dieser Krieg hier unten ist eine großartige Sache«, sagte ich. Und ich dachte: Schade! Es war ein herrlicher Krieg. Ich hätte was darum gegeben, einmal in meinem Leben an einem so herrlichen und großartigen Krieg teilnehmen zu können.

Aber unter diesen Umständen fiel das eben flach.

Die Angst

Rasierte mich gerade, am zweiten Morgen darnach, am Brunnen einer Hügelvilla bei Piombino, in deren Park wir den Tag verbrachten, als der Oberleutnant mit seinem Waschzeug hinzukam. Ich versuchte die Andeutung eines Grußes, doch der Chef winkte sogleich ab und begann mit seiner Toilette. Der Brunnen bestand aus einem großen, damastgelben Marmorbecken; in Gestalt eines Greifenkopfes entsprang der wasserspendende Mund der Hauswand. Wir waren in dem Innenhof des kleinen Palastes allein.

»Woher haben Sie eigentlich Ihre Italienisch-Kenntnisse?« fragte er. Er war klein, dunkel, hübsch, drahtig, gefährlich. Seine Ansprache an uns beim Abmarsch aus Dänemark hatte er mit den Worten geschlossen: »Für diejenigen, die vor dem Feind nicht spuren: in meiner Pistole sind sechs Schuß.« Das war der Herr Oberleutnant Meske.

»Ich bin im Frieden schon ein paarmal dagewesen«, antwortete ich. Und jetzt kein Wort weiter, dachte ich im gleichen Augenblick, dem Heini nicht zeigen, daß man mehr gesehen hat als er.

»Haben Sie gehört«, fragte er, »daß die Engländer den italienischen Überläufern in Afrika die Hosenböden herausgeschnitten und sie wieder zurückgejagt haben?« Er wartete keine Antwort ab, sondern setzte hinzu: »Aber sie werden nie lernen, zu kämpfen.«

Das Geräusch des dünnen Wasserstrahls wurde manchmal unterbrochen, wenn der Chef seinen Kopf darunter hielt, um sich prustend zu waschen. Ich beobachtete ihn wachsam und gespannt aus den Augenwinkeln heraus, während ich mir sorgfältig das Kinn schabte. Nach einer Weile sagte er: »Sobald wir wieder in Ruhestellung sind, werde ich dafür sorgen, daß Sie zum Gefreiten ernannt werden.«

Das hat also geklappt, dachte ich. Meine Tarnung war in Ordnung. »Danke bestens, Herr Oberleutnant!« sagte ich laut. Der Chef nickte.

Nachdem ich mein Rasierzeug verstaut hatte, schlenderte ich durch den Park, in dem Zypressen wuchsen, so riesig, wie ich sie nur in der Villa d'Este gesehen hatte, mächtige schwarzgrüne Säulen, in denen das Sonnenlicht lautlos versickerte. Lorbeerbüsche wuchsen entlang den Wegen, und das dünne schwarze Geäst der längst verblühten Glyzinien schob sich die Mauer hinauf. Unter den Bäumen lagen die Soldaten im Schlaf. Ein leichter, von leisem Wind umspielter Schlaf umfing sie, ein südlicher Gartenhügel-Schlaf. Als ich stehenblieb und, die Arme auf die Mauer gestützt, ins Land hinaussah, erblickte ich zuerst das Silberlaub der Oliven, die den Hügel bedeckten, und dann das staubweiße

Band der todesstillen Straße. In einem Ausschnitt der Hügel zur Linken war das Meer zu sehen, ein stumpfblaues, einsames Meer, das so aussah, als hätte es noch niemals der Kiel eines Schiffes durchschnitten, ein schieferfarbenes und tückisches Weltende-Meer. Vom Meer her zog ein Geschwader silbern glitzernder Flugzeuge mit dem gesanghaften Dröhnen der Motoren über den Himmel nach Osten und begegnete sich mit einer Staffel anderer, zwiegeschwänzter Maschinen, die ihren Weg nach Norden nahmen. Die Automaten zogen, ohne sich zu berühren, in mittleren Höhen aneinander vorbei und über die verlassen wogenden Weizenfelder hinweg, über die abgeschieden brütenden, von Weltangst erfaßten Pinien dahin, welche die Unendlichkeit der Getreide-Seen unterbrachen, fern und drohend dahin über die dämonische Verschlossenheit der Ölbaumhügel, die wieder in die etruskische Einöde ihrer Vergangenheit zurückgekehrt waren.

Diese Gegend legte einem das Gefühl der Angst nahe.

Desertierte natürlich auch, weil ich nicht gerne, wie man damals in der Armee sagte, »die Arschbacken zukneifen wollte«. Anscheinend tut man das, wenn man stirbt. Sage übrigens lieber ›Armee‹ oder ›Truppe‹ oder ›Militär‹ oder alles mögliche andere anstatt ›Wehrmacht‹. ›Wehrmacht‹ ist eine typische Wort-Erfindung eines heroischen Etappen-Trottels. Auch historischer Nonsens, wenn man daran denkt, daß das, was sich ›Wehrmacht‹ nannte, von dem Augenblick des Krieges an, wo es ernst wurde, konsequent ›Absetzbewegungen‹ durchführte, ›Frontbegradigungen‹ vornahm, höchstens ›hinhaltenden Widerstand‹ übte – mit zwei Tätigkeitswörtern gesagt: geschlagen wurde und floh. Für sie gilt in weit höherem Maße, was Hemingway von dem englischen General Montgomery berichtet: »Monty was a character who needed fifteen to one to move, and then moved tardily.« Weder Wehr noch Macht also, aber Millionen ziemlich tapferer Männer, die es im Bauch hatten, daß es im Grunde Quatsch war, zu kämpfen. Wenn sie's taten – und oft taten sie es gut –, dann unter Zwang oder um gerade noch eben das Gesicht zu wahren, weil man das Gesicht wahren mußte, als die Vollidioten bei den anderen gesiegt hatten und mit der Formel von der ›bedingungslosen Übergabe‹ (unconditional surrender) anrückten. Die deutschen Soldaten haben das Gesicht gewahrt, aber es hat im letzten Kriege niemals eine ›Wehrmacht‹ gegeben, sondern einzig und allein Millionen bewaffneter Männer, deren größerer Teil nicht die geringste Lust hatte, zu kämpfen. So ein Haufen wie der, bei dem ich herumlief, war eine absolute Ausnahme. Und es war eine ironische Kaprice des welthistorischen Instinkts, daß gerade ein solcher Klub von seinen Gegnern beinahe komplett vereinnahmt werden konnte.

Aber eben nur beinahe komplett. Ich jedenfalls würde bei der Gefangennahme fehlen. Dachte nicht daran, mich bedingungslos zu übergeben, was im Akt der Gefangennahme beschlossen lag. Ich würde freiwillig kommen und mir damit das Recht vorbehalten, meine Bedingungen zu stellen. (Ich meine natürlich nicht die Bedingung besserer Behandlung in der Gefangenschaft, sondern politische Bedingungen für die Zeit nach dem Kriege.) War natürlich Blödsinn, was Meske sagte, daß sie einem den Hosenboden herausschnitten. Ich hatte ihre Flugblätter gelesen. Sie sicherten gute Behandlung und schnelle Entlassung nach Kriegsschluß zu. Das war klare Propaganda. Darauf durfte man nichts geben. Und das mit den Hosenböden war Gegenpropaganda. Ich hatte mich entschlossen, 'rüber zu gehen, weil ich den Akt der Freiheit vollziehen wollte, der zwischen der Gefangenschaft, aus der ich kam, und derjenigen, in die ich ging, im Niemandsland lag. Ich wollte 'rüber, weil ich mir damit aufs neue das Recht erwarb, Bedingungen stellen zu können, auf die ich mir schon in der Vergangenheit einen Anspruch erworben hatte; ich wollte diesen fast verjährten Anspruch erneuern. Ich wollte 'rüber, weil es absurd gewesen wäre, wenn ich auch nur einen Schuß gegen einen Gegner abgegeben hätte, der niemals mein Gegner sein konnte. Für mich gab es kein Schützenloch, aus dem heraus ich hätte feuern können.

Und außerdem wollte ich natürlich 'rüber, weil ich Angst hatte, ins Feuer zu kommen und, sinnlos oder nicht sinnlos, sterben zu müssen.

Könnte nun den vorigen Absatz streichen und erzählen, daß ich eigentlich sehr mutig gewesen bin, weil ich die Gefahr des Todes im Kampfe mit der wahrscheinlich viel größeren Gefahr vertauschte, während meiner Desertion von der Feldpolizei aufgegriffen und sogleich hingerichtet zu werden. Könnte so in der Tat aus meinem Buch eine heroische kleine Story machen.

Sie hätte nur den geringfügigen Nachteil, nicht zu stimmen. Natürlich habe ich die Gefahr, geschnappt zu werden, erwogen, als ich den Plan zur Flucht faßte. Aber der Gedanke an die Feldpolizei hat in keiner Sekunde der Vorbereitung meiner Tat die Form der Angst angenommen. Angesichts meiner Aufgabe erfüllte mich ein Mut, der niemals die Phase der Furcht durchschritten hatte. Am ehrlichsten bin ich, wenn ich sage, daß mich Aug' in Auge mit dem Risiko, das ich einging, eine Stimmung grandioser Unbekümmertheit ergriff.

Ich habe mich nicht einmal gefragt, ob ich mich hinterher wie der Reiter überm Bodensee fühlen würde.

Dagegen hatte ich, wie gesagt, gegenüber der Möglichkeit, in die absurde Blutzone des Krieges eintreten zu müssen, jene Art von instinktiver Abneigung, die man mit dem Worte Angst bezeichnet.

Ich will aber damit sagen, daß ich nicht von panischem Schrecken erfaßt war. Die meisten Desertionen, besonders die geplanten Massendesertionen, etwa der italienischen Soldaten in Afrika, geschahen nicht aus der Furcht vor dem Tode, sondern aus dem Willen, zu leben. So, wie die meisten Selbstmorde nicht aus Angst vor dem Leben, sondern aus dem Wunsch, zu sterben, entstehen. Ich meine, daß man sich nur töten kann, wenn man von unwiderstehlicher Liebe zum Tode erfaßt ist. Der in den Kampf auf Leben und Tod geht, muß sich zum Tode entschlossen haben, denn er kann nicht mit dem Leben rechnen; er ist ein potentieller Selbstmörder. (Ich spreche nicht von jener tierhaften Sorte Kämpfer, die kämpfen, weil sie siegen, also den Gegner töten wollen; sie sind potentielle Mörder.) Daß er dem Tode ins Angesicht schauen kann, macht die Ehre des Kämpfers aus, wie schon Schiller sehr richtig bemerkte.

Wie es die Ehre des Deserteurs ausmacht, sich vom Angesicht des Todes abzuwenden, von dem Gorgonenhaupt, das nicht zur Tat befreit, sondern den, der es anblickt, versteinert.

Kopflose Furcht hat mich nur einmal in meinem Leben ergriffen, im Herbst 1933, in jener Zelle des Münchner Gestapo-Gefängnisses, als ich zum zweitenmal verhaftet worden war. Die Furcht und ihre höchste Steigerung, der Schrecken, kommen von außen auf den Menschen zu, während die Angst bereits von Anfang an in ihn eingeschlossen ist. Sie gehört, ebenso wie der Mut, zu seiner Natur. Zwischen Angst und Mut treten die beiden anderen natürlichen Eigenschaften des Menschen, Vernunft und Leidenschaft. Sie führen die Entscheidung, die er zwischen Mut und Angst zu treffen hat, herbei. In jenem winzigen Bruchteil einer Sekunde, welcher der Sekunde der Entscheidung vorausgeht, verwirklicht sich die Möglichkeit der absoluten Freiheit, die der Mensch besitzt. Nicht im Moment der Tat selbst ist der Mensch frei, denn indem er sie vollzieht, stellt er die alte Spannung wieder her, in deren Strom seine Natur kreist. Aufgehoben wird sie nur in dem einen flüchtigen Atemhauch zwischen Denken und Vollzug. Frei sind wir nur in Augenblicken. In Augenblicken, die kostbar sind.

Mein Buch hat nur eine Aufgabe: einen einzigen Augenblick der Freiheit zu beschreiben. Aber es hat nicht die Aufgabe, zu behaupten, daß die Größe des Menschen sich nur in solchen Augenblicken verwirkliche. Es ist ein Leben denkbar, in dem die Freiheit niemals erfahren wird und das dennoch seinen vollen Wert behauptet. Der Wert des Menschen besteht darin, daß er Mut und Angst, Vernunft und Leidenschaft nicht als feindliche Gegensätze begreift, die er zerstören muß, sondern als Pole des einen Spannungsfeldes, das er selber ist. Denn wie kann bis zum Mord entschlossene Feindschaft herrschen zwischen Eigenschaften, die so offensichtlich zur menschlichen Natur gehören, daß, wollte man auch nur eine von ihnen amputieren, die Seele sterben müßte? Wie viele lebende Leichname gibt es, die – mag ihr Fleisch noch so blühen – gestorben sind, weil sie entweder die Angst oder den Mut, die Vernunft oder die Leidenschaft aus sich ausgerottet haben? Die Freiheit ist nur eine Möglichkeit, und wenn man sie vollziehen kann, so hat man Glück gehabt – worauf es ankommt, ist: sich die Anlage zur Freiheit zu erhalten.

(So meine ich, daß ein Denken, welches nur von der Angst und der Sorge redet, aber nicht von der Unbekümmertheit, der Abenteuerlust und der Tapferkeit des Menschen, in die Unfreiheit führt. Es starrt dem Tode ins Gorgonenhaupt, und es wird darüber versteinern.)

Zur Freiheit disponiert, schweben unsere Eigenschaften im Äther der Stimmung. Ohne die Gewitterschwüle oder die Passatwinde, ohne den Dieselöl-Duft oder die Park-Gefühle, welche die Stimmung uns zuträgt, würden Mut und Angst, Vernunft und Leidenschaft sogleich tot zu Boden sinken. Was uns umgibt, ist die Luft der Stimmung, die als ätherisches Element zugleich das ästhetische ist. Der Park zu Schleißheim. Als der Stimmung Ausgesetzte machen wir Kunst.

Die Kunst ist nicht eine Angelegenheit der Musen, die dichten, malen oder Gitarre spielen können, sondern die Empfindung, die wir von dem

Stück rostigen Eisengeländers erhalten, das wir anfassen, auf unserem Hinterhof-Balkon stehend und auf die Fensterreihen des Wohnblocks starrend, während wir hören, wie Frau Kirchner im Parterre Geschirr spült.

Kunst hat nicht das geringste mit Können zu tun, sonst wäre es unmöglich, daß der Textilfabrikant Reinhard aus Krefeld ein paar eisige, glasklare und kostbare Gedanken entwickelt, indes er zuhört, wie Wilhelm Furtwängler die Freischütz-Ouvertüre unerträglich würdevoll und temperamentlos dirigiert.

Und während ein Maler und ein Theoretiker sich in dem vor Hunger trostlosen und ungemein rührenden Dämmerlicht eines Schwabinger Ateliers über gegenständliche und abstrakte Kunst streiten, machen ein paar Straßen weiter die Kinder, die ein Mann namens Richard Ott mit Papier, Farben und Pinseln spielen läßt, die Stimmung sichtbar, von der ihr Leben sich nährt.

Hingegeben der Stimmung als der Atemluft unseres Geistes, sind wir alle genial. Es gibt nur Genies oder lebende Leichname. Ich schlage vor, das Institut für Demoskopie möge eine Zählung der Bevölkerung nach Genies und lebenden Leichnamen vornehmen.

Die Musen aber sind Symbole, also Ersatz für die Realität. Die Musen sind die Pin-up-girls der symbolistischen Schönschreiber und Schönpinsler und Schön-Notenstecher. Sie hängen als Piperdrucke nach Originalen von Plato in ihren ästhetischen Zimmern, indes der völlig amusische Konstrukteur Dick Barnett – niemanden interessiert es, wie dieser große Künstler wirklich heißt – in einem Büro der Lockheed Aircraft Corporation, Burbank, Kalifornien, die Umrisse der Gestalt des Düsenjägers F 94 zeichnet.

Er tut das in erster Linie nach sorgfältigen Berechnungen, also mit Hilfe seiner Vernunft, aber nur Leidenschaft kann eine so reine Form schaffen, eine Form, in der noch der geheime Kampf zwischen Mut und Angst in der Brust von Dick Barnett nachzittert, aus der man herausfühlt, daß Barnett sich, als er sie schuf, auf des Messers Schneide bewegte. Eine kleine Bewegung nur, und er wäre abgestürzt. Eine einzige falsche Drehung von Barnetts Geist – und der Düsenjäger F 94 wäre nicht das vollendete Kunstwerk, das er ist. Und dazu die Stimmungen von Burbank, Kalifornien, Barnett völlig unbewußt, das bestimmte Rot von Benzinkanistern an einer Tankstelle, morgens, auf dem Weg zu den Lockheed-Werken, oder die Linie des Halsansatzes seiner Frau, unter einer Straßenlampe, als sie gestern abend, aus dem Kino kommend, den Wagen verließen.

Die Millionen Stimmungen, Atemluft unserer Natur, ätherisches, also schnell verdunstendes Element, worin unsere Eigenschaften schweben – die Stimmungen kommen aus dem Nichts oder von Gott.

Entwarf eine Skizze meines Bildes vom Menschen. Änderungen vorbehalten. Bin kein philosophischer Kopf. Die Aufgabe des Schriftstellers ist die Deskription. Ich habe den Menschen nicht interpretiert, wie die Philosophen es tun, sondern ich habe ihn beschrieben. Beschrieb den Menschen, weil ich meine Angst zu beschreiben habe. Unsere Angst. Die in uns allen eingesenkte Angst, die wir nicht zerstören dürfen, wenn wir lebendig bleiben wollen.

Zum Beispiel die Angst vier Jahre zuvor, am Fuße der Limburg, ein paar Kilometer nördlich von Breisach, am Ufer des Oberrheins, in den Auwald-Dschungeln, als der Krieg begann. Die französische Artillerie legte täglich eine bestimmte Zahl Granaten auf eine Beobachterstellung an der Limburg. Saß mit einem Trupp Soldaten der Baukompanie, zu der sie mich eingezogen hatten, unter den rauschenden Geschossen. Wir hatten alle Angst, besonders beim erstenmal. Hatten noch nie so etwas gehört. War eine ganz harmlose Sache, geradezu kindisch gegen das, was nachher kam, in den Bombennächten der sogenannten Heimat. Aber gerade weil die Sache so harmlos war, konnte man die Angst exakt beobachten.

Sie begann mit dem Warten auf das Korkenpflopp-Geräusch des Abschusses der französischen Geschütze, die am Rande des Rhein-Dschungels auf der anderen Seite stehen mochten. Mit dem Singen des näherkommenden Geschosses steigerte sie sich und stieß endlich ihre Dolchspitze in die Herzkammer, während die Granate einen Augenblick über unseren Köpfen stillzustehen schien. Es war der Augenblick, in dem auch der fronterfahrene Unteroffizier endlich aufhörte, uns zu erklären, daß ein Geschoß, welches man kommen höre, ungefährlich sei, die Sekunde, in der ich die krampfhaft lyrische Vertiefung in das Bild eines Altrhein-Armes, der vor mir lag, aufgab, meinen Blick von den Weidenbüschen mit ihrem silbrigen Laub, von dem mit einer weißen Lehmkruste überzogenen Schiffswrack im gelben, stillstehenden Wasser, von der Hitze und dem Schweigen löste – einen Blick, den ich eingeübt hatte, um ihn in der Sekunde der Angst festzuhalten – und statt dessen eine gerade Linie zwischen meinen Augen und den schmutzigen Spitzen meiner Stiefel zog, die, offenbar getrennt von mir, obgleich doch meine Füße in ihnen staken, auf der Erde standen, an das Metall meiner Spitzhacke gelehnt.

Später, in der Stimmung der Mückenschwärme und der grünen Hitze, gewöhnten wir uns daran. Aber da war keine Freiheit möglich, keine sekundenbruchteilschnelle Unterbrechung des Spannungsstromes zwischen Angst und Mut, weshalb man sich die Angst bewahren mußte, um lebendig zu bleiben.

Nein, damals, im Frühling 1940, am Oberrhein, war die Freiheit aus der Welt und aus mir entschwunden. Die Desertion war unmöglich, und ich wollte sie nicht einmal; man konnte den reißenden Rheinstrom nicht überqueren, und hätte man es gekonnt, so wäre man auf eine Armee gestoßen, deren Niederlage feststand. Aber es war schlimm, daß ich damals die Fahnenflucht nicht einmal wünschte. Ich war derart auf den Hund gekommen, daß ich einen deutschen Sieg für möglich hielt. Ich gab damals der Kanalratte eine Chance. Jedesmal, wenn ich daran denke, spucke ich innerlich vor mir aus. Aber ich hatte wenigstens noch den Riecher, die Angst in mir festzuhalten. Hätte ich sie überwunden und zerstört, hätte ich den Mut über sie triumphieren lassen, so wäre ich stumpf geworden. ›Stur‹ hieß der Ausdruck dafür. Ich wäre das geworden, was die Kanalratte aus mir zu machen gewillt war.

Über die Jahre des Krieges hinweg, die dann folgten, habe ich nicht nur den Mut, sondern auch die Angst gerettet bis zu den Tagen, an denen ich meine Flucht wagte. Niemals hätte ich den Mut zur Flucht aufgebracht, wenn ich nicht im gleichen Maße, in dem ich mutig war, feige gewesen wäre.

Ich war es auf dem Hügel von Piombino, im Anblick der entleerten, von Welt-Angst erfaßten und von Automaten durchzogenen Landschaft, und ich war es an jenem Tage – am zweiten Tage nach der Hügelrast –, als ich mich mit Werner vorsichtig auf der Straße durch die Maremmen-Ebene bewegte.

Mittags sahen wir Tarquinia auf dem Hügel liegen. Hoch und zyklopisch türmten sich die riesigen etruskischen Quadermauern, auf denen das Schloß der Markgräfin von Toskana erbaut war. Die Straße wand sich in unendlichen Serpentinen hinauf. Der Himmel, unter dem die schattenlose Straße dahinzog, war bleiern weiß vor Hitze. Es war so heiß, daß wir das Meer nur ahnen konnten, das doch greifbar und unermeßlich von dieser Höhe aus zu überschauen sein mußte. Doch schwelte es unkenntlich im Sonnenbrodem, und nur daß im Westen dem grellen, tötenden Weiß des entfesselten Lichtes ein schiefriges Dunkel, wie von einer Gewitterwand, beigemischt war, verkündete seine Nähe. Wir brauchten zwei Stunden, um die drei Kilometer zurückzulegen, die vom Fuße des Berges bis zur Scheitelhöhe der Stadt führten. Als wir oben angelangt waren und auf einem kleinen, von Platanen bestandenen Platz rasteten, nahten sich wieder die Geschwader. Sie kamen über das Meer heran, man konnte sie schon von weitem sehen, Hunderte von Maschinen, und ihr unbeirrbarer und langsamer Flug erinnerte uns sogleich an die Angst. Es gab keine Stelle, wo wir Deckung beziehen konnten, wir mußten den Flug über uns ertragen, sinnlos und feige hinter die Bäume geduckt. Oben öffneten sich die Bombenschächte, und wir sahen die kleinen Bomben, wie sie in Bündeln, die sich auflösten, herausfielen, wie sie sich spiralig drehten in den weißen Lichtspiralen des kochenden Sonnenlichts, wie sie mit hellem, nervenzerreißendem Eimergeräusch die schrille Hitze des Himmels illustrierten. Aber wir befanden uns nicht unter der Fallrichtung der Bomben, die irgendwo im Hinterland von Tarquinia niedergingen.

Hätte ich damals nur aus Mut bestanden, so hätte ich nicht die mattgrünen und seidegrauen, aquarellhaft verfließenden Flecken bemerkt, aus denen die Rinde der Platane sich zusammensetzte, hinter der ich mich verbarg, anstatt ruhig stehenzubleiben. So kann ich sie, Beweise meines Lebenswillens, aus dem Unterbewußtsein heben, Stimmungen aus Wasserfarben, denen ich meine Seele zuwandte, weil es die Ehre des Deserteurs ausmacht, nicht sinnlos sterben zu wollen. Eines Tages werde ich schon wissen, wann ich sterben muß oder wann das Sterben für mich Sinn hat. Damals wußte ich, daß es für mich nicht an der Zeit war, dem Tod ins Antlitz zu schauen, und so wandte ich meinen Blick von den Bomben ab und verbarg ihn in den Bäumen.

Von einem Melder des Bataillons, der in der Stadt postiert war, erfuhren wir, daß die Schwadron sich in Monte Romano, zwanzig Kilometer südöstlich von Tarquinia, sammelte. Die Straße führte nun vom Meer ab ins Innere des Landes, und wir fuhren diese letzte Strecke schweigend und schnell; wir hatten uns an die Hitze gewöhnt. Das

Land war einsam, an den Windungen der Straßen standen vereinzelt Gehöfte, an deren Mauern, bis zum flachen Hohlziegeldach hinauf, Rosen blühten; es gab wilde, unbebaute Felder, die ihr tolles Mohnrot gellend gegen die Weißglut des Firmamentes schrien.

Kurz vor Monte Romano kam uns der Chef auf dem Motorrad entgegen. Er stoppte und rief uns zu: »Die Tommies sind in Rom! Beeilt euch, daß ihr zum Haufen kommt! Wir haben nur bis Mitternacht Zeit, morgen kommen wir an den Feind!«

Arschloch, dachte ich, beeil du dich nur, daß du an deinen Feind kommst! Hoffentlich kriegst du eine vor den Latz geknallt, du mit deinen sechs Schuß in der Pistole! Es pressiert dir ja so, mein Kleiner. Wohin ich komme, dachte ich, wirst du dann nicht mehr sehen.

Und ich dachte: morgen also.

Der Eid

Es ging alles unwahrscheinlich glatt.

Ich hatte in der Nacht von zehn bis zwölf Wache zu schieben und brauchte deshalb nicht fluchend aus dem ersten Schlummer zu fahren, als die Schwadron Punkt Mitternacht geweckt wurde. Natürlich hatte keiner ausgeschlafen, und nach der ersten Spannung fielen wir alle unterwegs in unsere chronische Schlaftrunkenheit zurück. Wir fuhren zuerst auf gewundenen, heckenbesäumten Feldpfaden, auf denen die Räder oft im dezimeterdicken Staub steckenblieben.

Das Mondlicht war in dieser Nacht zum erstenmal nicht mehr so glänzend wie in den Nächten vorher. Bei Vetralla erreichten wir die Via Cassia; sie war gestopft voll mit Kolonnen, die auf Viterbo zurückgingen, aber nur im Schneckentempo vorwärtskamen und schließlich ganz ins Stocken gerieten. Was würde mit ihnen geschehen, wenn der Tag anbrach, der schon nahe war, und die Flieger kamen? Die Schwadron war die einzige Einheit, die in entgegengesetzter Richtung fuhr; aus den Kolonnen rief man uns höhnische Worte zu. »Wo wollt ihr denn hin?« hieß es da, mit stichelndem Ton auf dem »ihr«, und wenn ein Wichtigtuer antwortete: »Nach vorne!«, gab es gereizte Ausrufe,

Spott oder einfach nur Gelächter. Im Gegensatz zu den Feldherren hatten die Soldaten die Niederlage bereits akzeptiert.

Es blieb uns nur ein enger Raum auf der rechten Straßenseite, um uns an dem wartenden Rückzug vorbeizuzwängen. Als es tagte, bogen wir auf eine weiße Straße nach rechts ab. Wir fuhren zum erstenmal bei vollem Tageslicht, aber die Flieger waren noch nicht da. Im Licht legte sich meine Müdigkeit etwas und machte einem Zustand Platz, den ich ›Fensterscheiben-Gefühl‹ nenne; ich sehe dann alles wie hinter Glas. Wir kamen an einem blauen See vorbei, den man durch eine Girlande schlanker Balsampappeln hindurch erblickte.

Die Straße wurde immer schlechter und war stellenweise ganz mit grobem Steinschotter aufgefüllt. Als wir an eine Gefälle-Strecke kamen, ließ ich, ohne zu bremsen, das Rad absichtlich hart über die Steine schießen. Ich fühlte, wie der Reifen des Hinterrades langsam Luft ließ und spürte gleich darauf das Stoßen der Felge. Aus, dachte ich. Und: das war die Masche.

Ich rief: »Panne«, scherte nach links aus der Kolonne heraus und stieg ab. Werner, der neben mir fuhr, folgte mir. Es war Vorschrift in der Schwadron, daß, wenn einer eine Panne hatte, ihm von dem zunächstfahrenden Kameraden geholfen werden mußte. Der Feldwebel, der an der Spitze fuhr, drehte sich kurz um und rief mir zu: »Machen Sie,

daß Sie schnell nachkommen! Tagesziel Vejano.«
Der Chef war mit seinem Motorrad wieder irgendwo voraus. Ich stellte sogleich, eilige Arbeit mar-
kierend, mein Rad auf Sattel und Lenkstange, während die Schwadron an mir vorbeijagte.

Ich sah ihr nach, wie sie hinter einer Biegung
verschwand, im Glitzern und Klappern der letzten
Räder. Die Staubfahne, die ihr nachflatterte, sank
über die stille Straße nieder.

Es war wirklich alles ganz glatt gegangen. Nur
Werner mußte ich jetzt rasch loswerden.

Er beugte sich über das Hinterrad und begann,
nach der Schadenstelle zu suchen. »Steinschlag«,
sagte er, »wahrscheinlich sind viele kleine Löcher
drin. Wir müßten einen Eimer voll Wasser haben,
um sie finden zu können. Wird einige Zeit dauern,
bis wir das geflickt haben.«

»Fahr doch mit den anderen«, sagte ich zu ihm.
»Ich helf' mir schon selber. Du vertrödelst sonst den
halben Tag mit meinem Rad.«

»Nein«, antwortete er, »das geht nicht. Ich kann
dich doch nicht im Stich lassen.«

Ich ahnte, daß er unruhig war, daß er zum Haufen wollte. Er dachte daran, daß die Schwadron
gleich vorne an der ›Front‹ ankommen würde
– wir stellten uns tatsächlich damals noch so etwas
wie eine Front vor – und daß er dann nicht dabei wäre. Ob er wirklich unbedingt an die ›Front‹
wollte, weiß ich nicht, aber auf jeden Fall wollte

er beim Haufen bleiben, obgleich er manchmal Anfälle von Selbständigkeit hatte.

Plötzlich merkte ich, daß er mich mißtrauisch anblickte.

»Du willst wohl wieder pennen?« fragte er. »Das geht aber heute nicht. Heute müssen wir bei den anderen bleiben.«

»Wofür hältst du mich?« fragte ich vorwurfsvoll. Wenn man lügt, muß man richtig lügen. »Meinst du, ich will nicht dabeisein, wenn es losgeht?«

»Na, sehr begeistert warst du nie«, meinte er. Er hatte also etwas gemerkt. Aber seine Phantasie reichte nicht aus, die Konsequenzen seines Verdachtes zu ermessen. Er konnte sich höchstens vorstellen, daß ich ein paar Stunden schlafen wollte. Von ihm hatte ich nichts zu befürchten.

»Meinst du wirklich, daß du allein zurechtkommst?« fragte er. Wieder spürte ich seine Ungeduld.

»Klar«, sagte ich. »Ich werd' schon Wasser auftreiben. Hier sind doch überall Bauernhöfe.« Wir belogen uns gegenseitig; wir wußten, daß die Bauern, die ihre Höfe an der Straße hatten, alle geflohen waren und irgendwo im Innern der Landschaft hausten, in selbsterrichteten, sorgfältig getarnten Strohhütten. Und die Brunnen der Höfe waren versiegt.

Werners Blick hing noch immer mißtrauisch auf

meinem Gesicht, aber mit seinen Gedanken war er schon abwesend.

»Dann fahr' ich jetzt weiter und melde vorne, daß du schon beim Flicken bist«, sagte er.

»Ja, mach zu!« sagte ich. »Ich komme gleich nach. In 'ner Stunde oder so bin ich wieder vorne.«

Er schwang sich auf sein Rad und fuhr los. Wir hatten uns nicht die Hand gegeben, aber solange er nicht um die Biegung war, drehte er sich immer wieder um und winkte mir zu. Ich winkte ihm nach. Es war eine Art von Jubel in unseren winkenden Armen, eine Art von verzweifeltem und endgültigem Jubel. Dann war nur noch die Straße da, leer, leer und weiß und still. Mein Arm sank herab. Ich war allein.

Eine blasse Figur, dieser Werner, in meinem Buch und im Leben. Ich entsinne mich seiner nur noch schwach. Er war eher breit als groß, aber nicht klein, mit einem breiten, sympathischen Gesicht unter glatten, dunkelblonden Haaren. Drei Jahre nach dem Kriege schrieb mir sein Vater, ob ich nichts von ihm wisse, er habe seit dem Sommer 1944 nichts mehr von seinem Sohn gehört. Er ist also im Kriege verlorengegangen, der gute Kerl, aber ich habe dem Vater nicht berichten können, wo, denn ich habe Werner und die Schwadron niemals wiedergesehen. Ob es ihn erwischt hat, gleich nachdem er sich von mir getrennt hatte? Die Partisanen vielleicht, oder die Flieger? Ob ich der letzte Mensch gewesen bin, zu dem er gesprochen hat? Das ist nicht anzunehmen, denn die Schwadron war höchstens zehn Minuten voraus. Am wahrscheinlichsten ist es, daß er versprengt wurde und in einen Trupp geriet, der sich auf eigene Faust nach hinten durchschlagen wollte, zum deutschen Gros. Bei solchen Trupps gab es immer ein paar Idioten, die feuerten, wenn der Gegner – ihr Gegner, nicht der meine – sie aufgestöbert hatte, und dann gab es Zunder, und sie gingen alle in die Binsen und wurden von den Bauern verscharrt, weil die Amerikaner oder Franzosen oder Polen oder Engländer oder Marokkaner in jenem Stadium des Kampfes sich nicht die Zeit nahmen, sich um die Toten zu kümmern.

Habe nicht damals, auf jener Straße im Süden Umbriens, aber später in Gefangenschaft und in den Jahren, die dem Kriege folgten, nach der Lektüre von Briefen wie dem von Werners Vater vor allem, darüber nachgedacht, was Werner und die meisten anderen eigentlich band. So band, daß sie gar nicht auf den Einfall kamen, sie könnten etwas anderes tun, als beim Haufen bleiben. Es war einfach das ›Beim-Haufen-Bleiben‹ selbst, der Herdeninstinkt, mit Terror und Propaganda unablässig in sie hineingetrommelt, der auch Werners Gesicht blaß und verwischt machte. Man war schon fast selbständig, wenn man dem Trieb zum einfachen Aufgehen im Massenschicksal ein paar unklare Vorstellungen von Kameradschaft und Verteidigung des Vaterlandes beimischte oder einfach von Natur aus kampfeslustig war. Die meisten deutschen Soldaten bewegten sich in diesem Kriege nicht wie Träumer, auch nicht wie Betrunkene, sondern wie Gebannte; wer unter der Gewalt des bösen Blickes steht, sieht nicht mehr Iris und Pupille des Hypnotiseurs. Sein Bewußtsein ist ausgeschaltet, er fühlt nur noch den Bann.

Sie sollten das ruhig zugeben – es ist keine Schande – und auf jene letzte Ausflucht verzichten, die sie sich nachträglich zurechtgemacht haben: es sei der Eid gewesen, der sie verpflichtet habe.

Ich gebe zu, daß für viele Offiziere der Eid ein Problem darstellte. Aber ich habe während des ganzen Krieges unter den Mannschaften, bei denen ich mich befand, keinen einzigen Soldaten getroffen, der jemals ein Wort über den Eid verloren hätte. Und nicht etwa deshalb, weil man ihn als eine heilige Sache empfand, über die man nicht sprach.

Ich selbst habe den Eid an einem strahlend sonnigen Märzmorgen des Jahres 1940 auf dem Hof einer Kaserne bei Rastatt geschworen. Im zweiten Glied der angetretenen Ausbildungskompanie stehend, sprach ich, zusammen mit den anderen, in Absätzen und mit rechtwinklig erhobener Schwurhand den Text nach:

»Ich schwöre bei Gott diesen heiligen Eid, daß ich dem Führer des deutschen Reiches und Volkes, Adolf Hitler, dem Obersten Befehlshaber der Wehrmacht, unbedingten Gehorsam leisten und als tapferer Soldat bereit sein will, jederzeit für diesen Eid mein Leben einzusetzen.«

Während ich, ohne die Miene zu verziehen, diese Worte sprach, mußte ich in meinem Inneren über den plumpen Versuch der Kanalratte, mich an sie zu binden, lächeln. Schon die einfachste aller möglichen Überlegungen enthüllt ja die Absurdität dieses Eides.

Wer auch immer sich unter der Herrschaft der Kanalratte weigerte, einem Gestellungsbefehl zu folgen, wurde getötet oder mindestens auf viele Jahre in ein Konzentrationslager gebracht. Das gleiche Urteil hätte den getroffen, der, wäre er selbst, dem mächtigen Sog des Massenschicksals folgend, Soldat geworden, sich in letzter Minute geweigert hätte, den Eid zu leisten.

Der Eid wurde also unter Zwang geleistet. Auf seine Verweigerung stand der Tod. Er war damit null und nichtig.

Der Ungläubige kann die Worte einer Eidesformel sprechen, ohne daß dieser Vorgang mehr berührt als Lippen und Zunge.

Der Gläubige weiß, daß der Eid ihn in äußerstem Sinne an Gott bindet. Ein Gelübde, eine unter Eid gestellte Zeugenschaft wird immer freiwillig abgelegt. (Man kann davon nur entbunden werden, wenn die Wahrheit Gottes den Eid als wissentlich oder unwissentlich falschen erwiesen hat.)

Nirgends offenbart sich die dialektische Beziehung von Bindung und Freiheit stärker als beim Eid. Der Schwur setzt die Freiheit des Schwörenden voraus.

Der Eid ist ein religiöser Akt, oder er ist sinnlos.

Die meisten deutschen Soldaten aber glaubten nicht an Gott, oder sie waren religiös indifferent in der Art, daß sie, außer in den Stunden der fernsten Einsamkeit oder der Todesnähe, nicht darüber nachdachten, ob sie an Gott glauben sollten oder nicht.

Aus diesem Grunde war die Mehrheit der deutschen Soldaten überhaupt nicht eidesfähig.

Nicht eidesfähig war ferner ihr Führer, da er Gott leugnete und alle religiösen Regungen verfolgen ließ, weil sie dazu anregten, seine Person im Denken der Menschen auf das rechte Maß zurückzuführen. An die Stelle jenes Göttlichen, das den Menschen, also auch ihn selbst, überwölbte, setzte er einen leeren, aber immerhin mit den Zeichen des Schreckens behafteten Begriff: die Vorsehung.

Allein eidesfähig war der Gläubige, der sich entschloß, jenen Eid in vollem Bewußtsein zu leisten. Gab es solche Gläubige überhaupt? Wenn es sie gab, so waren sie mit Blindheit geschlagen. Sie nahmen eine schwere Sünde auf sich.

Denn sie mußten sich, wenn noch ein Funken Vernunft in ihnen lebte, sagen, Gott könne unmöglich daran interessiert sein, daß man der Kanalratte Gehorsam leistete, und unbedingten obendrein. Und wenn sie es mit dem Verstand nicht fassen konnten, so mußten sie es fühlen, daß die luziferische Ratte, die gegen Gott raste, die Heiligkeit des Eides schändete, indem sie ihn für sich in Anspruch nahm.

Aber ob Gläubige oder Ungläubige, sie waren alle Verwirrte.

Ihre Väter und Großväter und die Männer aller Generationen vorher hatten Soldaten-Eide geschworen. Indem sie schworen, hatte sich ein mächtiges, urtümliches Tabu auf sie herabgesenkt, und sie waren unfähig, hinter der gläsernen Glocke einer mit Worten beschworenen Heiligkeit die absolute Leere zu erkennen. Denn von einem bestimmten Punkt der Geschichte an hatte der Raum hinter der Glasglocke des Eides sich entleert.

Dieser Punkt ist die Französische Revolution. Höhnisch weist die konservative Faktion in allen Staaten der Erde nach, daß sie das Prinzip der allgemeinen Wehrpflicht einem der revolutionärsten Vorgänge der Weltgeschichte entnommen habe. Das ist wahr, aber ebenso wahr ist auch, daß sie der Großen Revolution eben nur dieses Prinzip stahl, nicht aber die Grundsätze der Freiheit, Gleichheit und Brüderlichkeit und des Schutzes der Menschenrechte.

Doch wie dem auch sei – vom Beginn des 19. Jahrhunderts an begannen die modernen Staaten, alle Männer ihrer Territorien zum Soldaten-Dienst zu zwingen. Auch vorher schon hatte es, in gewissen Grenzen, Zwang gegeben. Aber das Prinzip war doch die Freiwilligkeit gewesen, auch wenn die Erscheinung des Soldaten sich langsam wandelte: vom Landsknecht zum Gardisten Friedrichs des Großen. Der Landsknecht schwor seinen Eid aus freien Stükken, und auf den Gepreßten war kein Verlaß.

Die allgemeine Konskription aber ließ dem Mann keine Wahl. Man zwang ihn, den Waffendienst zu leisten. Den Gezwungenen aber ließ man den alten, freien Landsknechts- und Gardisten-Eid schwören.

Das hatte noch einen Anschein von Sinn, solange die Mehrheit an Gott glaubte und die Spitze des Staates, der Fürst, sich als Fürst von Gottes Gnaden empfand. Solange die Idee des Vaterlandes noch eine allgemeine und das Recht, wenigstens in seinem Grunde, noch ein autonomes war.

Aber die allgemeinen Ideen schwanden, die Mehrheit glaubte nicht mehr an Gott, und eine riesige Minderheit begann sogar, den Gedanken des Vaterlandes abzulehnen. Was übrigblieb, war die Macht an sich, die allerdings für einen Teil der Menschen mythischen Glanz gewann, indes für einen anderen sich der imperialistische Charakter der Epoche entschleierte.

Im Verlauf dieses Prozesses wurde die allgemeine Wehrpflicht eine Maßnahme der Macht. Sie verlor jenen Sinn, den sie sowieso nur einen einzigen geschichtlichen Augenblick lang besessen hatte. Aus einem idealistischen Aufschwung geboren, entlarvte sie ein Jahrhundert später den Idealismus als Illusion. In jedem Gebrüll eines Hauptfeldwebels vollzog sich der 18. Brumaire des Napoleon Bonaparte aufs neue.

Und aus dem in Freiheit geleisteten religiösen Akt des Eides, dem Rütli-Schwur freier Kämpfer, wurde ein Schamanen-Zauber, von Gepreßten zelebriert, in die Leere der Kasernenhöfe hineingesprochen und nicht einmal widerhallend von den Wänden eines gestorbenen Glaubens.

Das war der Grund, warum ich während des ganzen Krieges unter den Mannschaften, bei denen ich mich befand, keinen einzigen Soldaten getroffen habe, der jemals ein Wort über den Eid verloren hätte. In der Absurdität des Krieges der Kanalratte fühlte ein jeder dumpf die Absurdität der allgemeinen Wehrpflicht und des Soldaten-Eides. In jener reinen Ausprägung, die der zugleich imperialistische und ideologische Krieg des neuesten geschichtlichen Augenblickes durch Hitler erfahren hat, wurden Wehrpflicht und Eid nicht mehr als Bindung erfahren, sondern als bedingungsloser Zwang. Eine Epoche ging zu Ende.

Es erwies sich, daß Zwang zum Soldaten-Dienst

und Eid gegen die Grundrechte des Menschen verstoßen. Auch dann, wenn ein modernes Machtsystem noch so human ist, einigen wenigen ein Gewissen zu gestatten, das den ›Wehr‹-Dienst verweigert.

Die Entscheidung zum Kampf auf Leben und Tod setzt den freien Mann voraus.

Der Eid kann nur von Gläubigen einem Gläubigen gegenüber geleistet werden.

Das Heer der Zukunft kann nur eine Freiwilligen-Armee sein. Nach der Lage zu urteilen, in der sich der Glaube heute befindet, ist der Eid in einer solchen Armee nicht denkbar.

Eine solche Freiwilligen-Armee wird riesig sein, wenn sie die gerechte Abwehr eines ungerechten Angreifers vorbereitet. Bei Ausbruch des Krieges werden ihr viele weitere Freiwillige zuströmen und jene unabsehbaren Scharen von Partisanen Hilfe leisten, die eine unmittelbare Folge der Untaten eines Gegners sind, der dem Glanz der Macht verfallen ist.

Diejenige Gesellschaft, die ein solches Heer aus sich heraus stellt, wird, mag sie auch viele Schlachten verlieren, ja nicht einmal den Sieg erringen, dennoch die Fundamente der Zukunft errichten. Noch im Unterliegen wird ihr Geist, als der überlegene, den Sieger zum Verlierer des geschichtlichen Sinnes machen.

Der Zwangsarmee alten Stils gegenüber aber kann

sich der Mensch, wann immer er nur will, auf seine Grundrechte berufen.

Gegen den äußersten Zwang einer bedingungslosen Konskription und eines befohlenen Eides kann er die äußerste Form der Selbstverteidigung wählen: die Desertion.

Wollte, ich hätte das damals alles so genau gewußt, als ich neben meinem aufgebockten Rad auf einer Straße in Mittelitalien stand und nach allen Seiten sicherte wie ein umstelltes Tier. Vielleicht wäre es aber auch schlecht gewesen, im Augenblick der Tat zuviel zu wissen, die ganzen Argumente und Gegenargumente und die Thesen im Kopf zu haben; es kann ein Handikap sein für den, der handelt. Dachte einfach nur – mit einem unbändigen Triumphgefühl – an die Freiheit, die ich mir selbst geschaffen hatte, wobei ich mich umsah und das Gelände prüfte.

Wo ich stand, wand sich die Straße an einem langgestreckten Hügel hin. Ich faßte das Rad an und schob es mühsam den Hügelhang hinauf, etwa hundert Meter, bis ich in einem Wäldchen untertauchte, das aus jungen, dicht stehenden Akazien bestand. Als ich außer Sicht der Straße war, auf der hin und wieder ein Meldefahrer oder ein LKW oder ein paar versprengte Infanteristen auftauchten, die dem großen Rückzug nachstrebten, ließ ich mich nieder. Ich machte es mir bequem und schlief rasch ein. Manchmal erwachte ich und beobachtete blinzelnd durch das Blätterdach die Flugzeuge, die in niedriger Höhe am Himmel umherschwirrten und mit Feuerstößen aus ihren MGs irgendwelche Ziele auf den Straßen belegten.

Nachmittags um fünf Uhr entschloß ich mich loszuziehen. Ich aß ein paar von den Keks, die ich mithatte – ich hatte mich für mein Unternehmen mit Keks und Schokolade für drei Tage versehen –, und machte mich marschfertig. Ich zerstörte den Hinterrad-Reifen des Rades so gründlich, daß eine Reparatur jedem prüfenden Auge unmöglich erscheinen mußte; dann begab ich mich zur Straße zurück und begann, das Rad schiebend, meine Wanderung. Die Flugzeuge waren fast vollständig vom Himmel verschwunden, und nur ein einziges Mal mußte ich wegen einer die Straße absuchenden Maschine in Deckung gehen. Die Straße war ganz ruhig und erweckte den Eindruck, als ob der Krieg Sonntag feiere. Hin und wieder begegnete ich ein paar rückmarschierenden Soldaten, aber ich wechselte keinen Gruß, außer mit einem des Weges kommenden Feldwebel, der mir, ohne daß ich ihn dazu aufgefordert hätte, erzählte, sein Funkwagen läge irgendwo zertrümmert »da vorne«, wobei er vage nach Süden deutete. »Da vorne«, setzte er hinzu, »sind die Amerikaner, Massen Amerikaner.«

Aber es seien doch noch genügend deutsche Truppen vorne, fragte ich, begierig, die Lage zu sondieren. Ob er meine Einheit gesehen habe?

»Radfahrer?« fragte der Feldwebel und sah prüfend auf mein Rad. Ja, so ein paar arme Irre habe er da vorne – wieder das vage Deuten der Hand – gesehen. Das seien aber beinahe die einzigen, die noch am Feind wären.

»Beeil dich, Mann«, grinste er, »damit du dabei bist, wenn dein Haufen vereinnahmt wird!«

»Wird schon nicht so schlimm werden«, antwortete ich.

Der Feldwebel lachte breit und ausdruckslos und ging weiter.

Eine Weile führte die Straße noch zwischen Feldern hin, dann wurde die Landschaft bewegter, und die Straße wand sich bergauf und bergab. Aus den Hügeln traten immer mehr Felsen hervor, die aus einem hellen und porösen Stein gebildet waren, in dem sich Eingänge zu Höhlen öffneten. Einmal stand vor einer dieser Höhlen ein Ukrainer als Posten, der mir in gebrochenem Deutsch erzählte, daß im Inneren der Felsen große Munitionslager angelegt seien.

Die Landschaft wurde immer romantischer, während der Tag langsam abnahm. Zum erstenmal seit Tagen hatte sich an diesem Abend der Himmel mit Wolken überzogen, und ich kam bei dem trüben Wetter, unter dem der Wind in warmen Stößen hinfuhr, gut vorwärts. Hinter einer Biegung tauchten unvermittelt im Talgrund die Häuser des Städtchens Vejano auf. Ich blieb stehen und blickte spähend hinab. Hoffentlich ist niemand von der Schwadron da unten, dachte ich.

In der Dämmerung machte Vejano einen vollständig verlassenen Eindruck. Aus keinem der Kamine über den flachen, grauen Hohlziegeldächern stieg Rauch auf. Ich sah, daß einige Häuser von Bomben getroffen waren. Schließlich wagte ich es und betrat den Ort.

Die Häuser waren hoch und grau und verlassen und, wie die Häuser aller kleinen italienischen Städte, aus regellos behauenen Quadersteinen zusammengefügt. Ich kam durch enge Gassen, in denen ich nichts vernahm als meine eigenen hallenden Schritte und das Klappern des Rades neben mir. Ich blieb stehen und dachte: Häuser, hier könnte ich bleiben und warten, bis die Amerikaner da sind, Häuser, vielleicht mit Betten, mit Zimmern, mit Winkeln zum Verkriechen und Warten. Ich trat zögernd in eines der Haustore. Drinnen war es dunkel und dumpfig, es roch nach Stroh und kalten Steinen und Kot. Es war unheimlich still drinnen. Eine Treppe wand sich einsam nach oben, eine Treppe aus kalten, grauen und einsamen Steinfliesen. Eine Schaufel lehnte an der Wand. Ich machte kehrt und ging wieder auf die Gasse hinaus. In den dunklen, glaslosen Fensterhöhlen hingen bewegungslos die Schnüre, an denen sonst die Hemden oder die Maiskolben befestigt waren.

Zwischen den finsteren Ratten- und Marodeurshäusern von Vejano, die keine Sicherheit boten, habe ich an Gott und das Nichts gedacht.

In den Häusern ist keine Sicherheit mehr, weil in den Häusern keine Freiheit mehr lebt, es sei denn die Freiheit der Ratten und Marodeure. Erst als Ruinen kehren die Häuser in die Freiheit zurück.

Die Freiheit lebt in der Wildnis.

Ich ziehe mich gerne in Wildnisse zurück. Ich meine damit die Uferlinie des Wattenmeeres bei Kampen, sich zu den Dünen aufschwingend, hinter denen der Donner der Oktober-Brandung sich ankündigt, ich meine die Felsen von Cap Finistère, das Tal des oberen Tet in den Ostpyrenäen, die Reiher der Camargue, die Ahornbäume am Fuße der Laliderer Wände, die Schafherden der Montagne de Lure, die zerschossenen Wälder auf dem Kamm der Schnee-Eifel, Brackwasser am Mississippi, von Pelikanen reglos umstanden, und die großen Wälder von New Hampshire und Maine. Auch jene Viertel der ganz großen Städte meine ich, in denen die Häuser zur Wildnis werden, wie es in Rom geschieht, in den Stadtteilen zu beiden Seiten des Corso (barocke Kirchen und Brunnen blühen darin wie Orchideen), im Hafen von Hamburg, im Paris des linken Seine-Ufers und des Montmartre. An einem Dezember-Vormittag habe ich die Place du Tertre wie eine graue, versponnene Waldlichtung gesehen. Sie hat geträumt – einen Traum in urzeitlichem Violett.

Wie an jenem Nachmittag in Vejano gehe ich gerne von den Häusern fort in die Wildnis, weil ich nur in der Wildnis mit Gott oder dem Nichts allein sein kann.

Die Freiheit ist das Alleinsein mit Gott oder dem Nichts.

Ich weiß nicht genau, ob es Gott gibt. Aber es scheint mir ziemlich absurd, anzunehmen, es gebe ihn nicht.

Gäbe es ihn nicht, so wäre an seiner Stelle das Nichts. Man stelle sich vor: das Nichts. Es wäre ein genauso großes Heiliges wie Gott. Es wäre so ungeheuer und so ungeheuer verpflichtend wie Gott. Gott würde in das Nichts eintreten und es göttlich machen. Das Nichts wäre Gott.

Schon heute sind, im Denken der Menschen, die das Nichts denken, Gott und das Nichts identisch. Alle Denker des Nichts sind religiöse Denker.

Ich habe damals, wie ich schon sagte, nicht an den Eid gedacht. Aber dunkel habe ich gewußt, daß kein Eid sich zwischen Gott und mich stellen konnte.

(Ich gebe zu, daß man auch in der Gemeinschaft der Gläubigen zu Gott sprechen kann. Es gab aber keine solche Gemeinschaft mehr. Die Kirche war ein leeres Haus, und um Gott zu treffen, mußte man von den Häusern fortgehen: in die Wildnis. Selbstverständlich meine ich damit nicht, daß man Gott im Wald anbeten solle. Ich bin kein Naturschwärmer. Ich meine damit die Alleingänge in die Wildnis Gottes, die selbst eine lebendige Kirche dem Gläubigen nicht ersparen kann.)

Ich war unmittelbar zu Gott. Wie alle Menschen hatte ich das ewige Menschenrecht, gegen alles zu protestieren, was sich zwischen Gott und mich drängen wollte. Der Geist der alten protestantischen Revolutionäre, die meine Vorfahren waren, hat mich jederzeit erfüllt.

Dabei weiß ich nicht einmal genau, ob es Gott gibt. Aber ich habe immer zu ihm gebetet.

Zwischen den Häusern von Vejano habe ich gebetet: Laß mich zu Dir in die Wildnis entkommen! Hilf mir! Laß mich allein sein mit Dir!

Am Ortsausgang, wo sich die Straße zur Schlucht hinabsenkte, stand ein großes, halbzerstörtes Stadttor. Es lagerte sich dunkel, drohend und massig über meinen Weg. Ich durchschritt seine finstere Höhlung.

In der Schlucht ragten die Felsen weiß und phosphoreszierend in dem düster-grünen Wiesengrund, aus dem ich den Fluß leise und gurgelnd rauschen hörte. Ich kam über eine Brücke, und nachher wand sich die Straße wieder langsam in die Höhe, zwischen Felsen und Hängen hindurch, die mit Pistazienbüschen besetzt waren; gelbe Blüten lohten matt in die Abendtrübnis.

Droben angekommen, stand ich auf einer Hochfläche, über die sich reifende Kornfelder erstreckten. Das Licht reichte noch aus, damit ich erkennen konnte, daß überall auf den Feldern kleine Strohhütten standen, die wie Zelte aus dem Boden wuchsen, Capannas, wie die Italiener sie nannten.

Nachdem ich im letzten Tageslicht die Karte studiert hatte, überlegte ich: Die Schwadron ist auf Oriolo vorgegangen. Das muß sie morgen bestimmt räumen. Ich muß hier rechts von der Straße ab und in südsüdwestlicher Richtung weitergehen. Auf der Straße darf ich nicht bleiben, denn sie ist der einzige Weg, den die Schwadron hat, wenn sie sich in der Nacht absetzen will. Ich würde ihr hier direkt in die Arme laufen.

Ich ahnte nicht, daß die Schwadron schon längst in die Hände ihres Gegners gefallen war.

Die Wildnis

Rechts zog sich ein Abhang in die Tiefe eines Tales, dessen Sohle man nicht einsehen konnte. Ich schritt ihn suchend ein Stück hinab, bis ich eine Capanna fand, die von der Straße aus nicht mehr gesehen werden konnte. Nachdem ich das Fahrrad in einem Kornfeld versteckt hatte, setzte ich mich vor den Eingang der Strohhütte. Es war nun fast ganz dunkel geworden. Ich aß Keks und Schokolade und trank Wasser aus der Feldflasche. Die Szenerie, in die ich blickte, war einsam und erhaben, mit dem riesigen dunklen Wolkenhimmel, der über dem wilden Bergland hing. Die Täler und Berge erstreckten sich meilenweit bis zum westlichen Horizont, in dem ein gelbes Glosen lange nicht sterben wollte. Es wetterleuchtete manchmal.

Die Capanna war nichts als ein unmittelbar auf die Erde gesetztes Strohdach. Nachher lag ich dicht unter den schiefen Wänden wie in einem Zelt. Den Ausgang hatte ich mit einer Zeltbahn verhängt. Seltsamerweise schlief ich sogar ein paar Stunden.

Ich erwachte, als es schon ziemlich hell war, von einem schlurfenden Geräusch, wie es Pferdehufe im Gras verursachen. Als ich hinausblickte, sah ich einen Zivilisten den Abhang herabkommen, einen jungen italienischen Bauern, der ein mageres Pferd am Halfter führte. Er hatte schwarze Hosen und ein schmutziges Hemd an und trug einen zerbeulten alten Hut mit breiter Krempe auf dem Kopf.

Als er mich sah, erschrak er zuerst, aber dann wurden seine Augen in dem dunklen Gesicht neugierig und kalt. Ich ging auf ihn zu und fragte ihn, ob er wisse, wo die Front sei. Er wußte ihren genauen Verlauf nicht; übrigens war meine Frage dumm, denn in jenen Tagen gab es keine Front. Sehr erfahrene Soldaten versichern mir überdies, daß es in diesem Kriege überhaupt niemals und nirgends etwas gegeben habe, was man als ›Front‹ bezeichnen könne, nicht einmal in Rußland.

Ich brachte den Italiener dazu, mir den südlichen Horizont zu erklären, und er wies mich auf eine sehr entfernt auf einem Hügel liegende Gebäudegruppe hin. Dies sei das Kloster San Elmo. Kloster ist nicht schlecht, dachte ich, Klöster sind Zufluchtsorte, wenn die Mönche darin Christen sind. Vielleicht nehmen sie mich ein paar Tage auf und verstecken mich, falls die Amerikaner nicht schnell genug vorwärtskommen. Aber sehr sicher war ich mir nicht; vielleicht war die katholische Kirche nur eine großangelegte Verwaltung, wahrscheinlich hatten die Mönche ihre genauen Vorschriften, in denen die Aufnahme eines Deserteurs nicht vorgesehen war. Denn damit hätten sie ja für eine der beiden kriegführenden Mächte Partei ergriffen. Möglich immerhin, daß sie für den Flüchtling Partei nahmen, der sich zwischen den Mächten herumschlug. Wie dem auch sei, das Kloster lag geographisch ziemlich günstig, in südwestlicher Richtung, also etwas westlich der Straße, auf der sich der Bewegungskrieg entfalten mußte und die ich deshalb nicht benutzen durfte. Meine taktische Aufgabe bestand darin, mich den Amerikanern nicht frontal, sondern von der Flanke her zu nähern. Ich beschloß also, mich den ganzen Tag über des Hauses der Mönche als Landmarke zu bedienen.

Ich zeigte dem Italiener mein Fahrrad und schenkte es ihm. Sachgemäß, schnell und gierig schob er es noch tiefer in das Korn. In diesem Augenblick schlug die Bombe ein. Sie schlug direkt auf die fünfzig Meter entfernte Straße aus heiterem Himmel ein, ohne daß wir sie kommen hörten, ohne daß wir das Brummen eines Flugzeuges vernommen hätten. Wir hatten nicht einmal Zeit, uns hinzuwerfen, als uns der Brockenregen überschüttete, sondern wir blieben sprachlos stehen, während das Pferd wild herumraste. Darnach war es wieder vollständig still, kein Flugzeuggeräusch war zu vernehmen, nichts umgab uns als das völlig durchsichtige, tauglitzernde Schweigen der Frühe. Mit einem gemurmelten »Addio« und »Buon viaggio« trennten wir uns, ich stieg ins Tal hinab, das mich endgültig von der Straße des Krieges trennte, während er einen Weg auf halber Hanghöhe einschlug, nach Norden, nach Vejano, woher ich gekommen war.

In dem Tal sah ich wieder helle, zerschrundete Felsen. Die Gegend war sehr wild, ich sah nur selten ein bebautes Feld, das ganze Land bestand aus wildem Busch- und Graswuchs mit einzelnen Bäumen dazwischen, die ihre doldenartigen Kronen über die Hügel breiteten.

An jenem Morgen des 6. Juni 1944 zitterte die Atmosphäre in verhaltener Erregung. Hätte ich damals gewußt, was ich heute weiß, so wäre mir die Stille nicht so unerklärlich gewesen; ich hätte die Ursache des Zauberbanns erraten, der den Krieg zwischen dem Tyrrhenischen und dem Ligurischen Meer in seine Fänge schlug. An diesem Tage legte der italienische Krieg sein Ohr auf die Erde, um auf den normannischen Krieg zu horchen. Stummes Gehör, vernahm er das Rauschen von Schiffsbügen, die nächtliche Wasser durchpflügten, und den Herzschlag von dreihundertfünfzigtausend Männern, die an Land gingen, den Donner von fünfundzwanzigtausend Flügen zwischen einer Insel und einem Festland, und den schmetternden Tod von zehntausend Tonnen Explosivstoff, den die Fliegenden auf die Erde schleuderten. Auch der Herzschlag derer wurde gehört, die sich zur Flucht wandten, und der feine atlantische Nachtregen, durch den sie flüchteten. Da war kein Mond mehr, ihnen das Haar zu kämmen, nur Nacht und Nässe und die Blitze, in denen der Tod kam, und nicht einmal der Staubfahnentriumph blieb ihnen, sogar der mondbleich dahinwehende Staubfahnentriumph blieb der Westarmee, der geschlagenen, versagt.

Während ich in der Capanna schlief, hatte sich die Entscheidung des Krieges vollzogen. Das Schicksal der Massen vollendete sich, als ich mich von ihm für die Dauer eines Tages löste.

Aber es ist unmöglich, sich für länger als einen Tag aus dem Schicksal der Massen zu befreien. Ich greife meiner Erzählung einen Augenblick vor, indem ich berichte, wie ich ihnen ein paar Tage später wieder gehörte, als ich, Teil einer langen Reihe Gefangener, auf eines der Lastautos kletterte, die vor dem Lager auf uns warteten. Die Fahrer waren Neger. Sie ließen die hinteren Planken der Autos herunter und riefen »Come on«. Zwei Negerposten kletterten zu uns herauf, setzten sich auf die wieder geschlossenen Planken und legten die Karabiner vor sich auf die Knie. Dann fuhren die Trucks los.

Die Straßen, auf denen sie fuhren, waren holperig, und das Gelände war ganz verwüstet. Am Eingang des Friedhofs warteten viele Negersoldaten auf uns. Ein weißer Offizier überwachte die Ausgabe der Spaten, Schaufeln und Pickel. Wir wurden in Arbeitskommandos eingeteilt und verstreuten uns gruppenweise im Gelände. Über dem Friedhofeingang hing süßlicher Leichengeruch. Wir begannen, Gräber auszuheben. Die Kalkerde war trocken und hart. Sie rutschte in Schollen von den silbern glänzenden Spaten. In der schrecklichen Hitze wurden Wasserkanister herumgereicht, aber das

Wasser schmeckte nach dem Chlor, mit dem es desinfiziert worden war, dem Chlor, mit dem man auch die Leichen bestreut hatte, und angewidert setzte man den Becher nach wenigen Schlucken ab. Wenn wir die Arbeit unterbrachen und aufblickten, sahen wir die hölzernen Kreuze rings um uns, in riesigen quadratischen Feldern. Als wir eine Reihe Gruben ausgehoben hatten, wurden wir zum Füllen der Säcke geführt.

Wir bekamen Gummihandschuhe und hohe Gummistiefel, damit wir uns nicht infizierten. Von einem Sackstapel nahmen wir lange weiße Leinensäcke und warfen sie uns über die Schultern. Die Leichen lagen in langen Reihen auf einer Fläche in der Mitte des Friedhofes. Von ferne waren es nur unförmige, klumpige, mit Chlor bestreute Massen. Auf diesem Friedhof sammelte man die Toten, die man auf dem Schlachtfeld von Nettuno fand. Viele von ihnen hatten schon wochenlang herumgelegen. Sie waren blauschwarz geworden und in den Zustand der Gärung übergegangen. Sie stanken entsetzlich. Einige, die noch nicht so lange tot waren, zeigten noch hellere Haut in den Gesichtern und unter den Fetzen ihrer Kleidung. Manchen fehlten die Arme oder die Beine oder auch die Köpfe, denn sie hatten im Feuer der Land- und Schiffsartillerie gelegen. Die Fliegen sammelten sich um sie in schwärzlichen Trauben. Die steigende Sonne löste die Leichenstarre immer mehr und machte die Körper weich und gallertartig. Wir stopften die schwammigen Massen in die Säcke. Dann trugen wir die Säcke auf Bahren zu den Gräbern und warfen sie in die Gruben. Sie schlugen klatschend unten auf.

So also sah das Schicksal aus, das der Krieg für die Massen bereithielt. Eine genau bestimmbare Entwicklungslinie führte bis zu den Leichenhekatomben von Nettuno, Omaha Beach und Stalingrad; man konnte sie der Geschichte aus der Hand lesen. Sie hatte an jenem Morgen begonnen, als der lange Hans Bertsch blutüberströmt an die Theke des ›Volkartshof‹ taumelte und sein Blick durch uns hindurchging und sich an den Fenstern brach, hinter denen sich die Dämmerung durch die Straßen der Jahre wand.

Die Symphonie der Unmenschlichkeit hatte in sein Gesicht die Akkorde ihres Anfangs geschlagen. Es hat keinen Sinn, das Datum früher anzusetzen; alles, was vorher gewesen war, war ein Ende gewesen. Eine Epoche war zu Ende gegangen, als mein Vater auf der Straße der Geschichte zusammenbrach, als er sterbend das lutherische Passionslied sang. Die, die nach dem alten deutschen Konservativen kamen, begannen etwas ganz Neues: sie dachten nicht mehr an das Antlitz eines Gottes, als sie die Häupter der Menschen mit Blut und Wunden krönten. Auch ich wäre auf jenem Friedhof bei Nettuno begraben worden, hätte ich an diesem Fluchtmorgen ein paar Meter näher an der Straße gestanden, auf der die Bombe einschlug. Doch bleibt dem Zufall nur ein geringer Spielraum; wohl kann er entscheiden, ob er den Menschen in die Gefangenschaft oder den Tod entsenden will – im Massen-Schicksal muß er ihn belassen. Auch kann er nichts daran ändern, daß der Mensch immer wieder versuchen wird, das Schicksal zu wenden, besonders wenn es ihm scheinbar keine andere Wahl läßt als die zwischen Tod und Gefangenschaft. Aber man ist nicht frei, während man gegen das Schicksal kämpft. Man ist überhaupt niemals frei außer in den Augenblicken, in denen man sich aus dem Schicksal herausfallen läßt. Von solchen Augenblicken wird man manchmal überrumpelt. Als der Italiener und ich beim Einschlag der Bombe überrascht stehen blieben, anstatt uns niederzuwerfen, kam die Freiheit in der Erwartung der Splitter, die sich in unsere Schläfen bohren würden, auf uns zu. Nachher würden wir tot sein, mit unseren Gesichtern in ein Stück Wiese vergraben. Aber vor den Splittern noch wäre die Sekunde, in der wir uns Gott und dem Nichts anheimgaben, in uns eingedrungen.

Aus dem Nu der Freiheit – ich wiederhole: niemals kann Freiheit in unserem Leben länger dauern als ein paar Atemzüge lang, aber für sie leben wir –, aus ihm allein gewinnen wir die Härte des Bewußtseins, die sich gegen das Schicksal wendet und neues Schicksal setzt. Als die europäische

Kunst den Weg des Willens gegen das Fatum der Geschichte zu Ende gegangen war, ließen sich Picasso und Apollinaire in die Freiheit fallen. Noch von ihrem Rauch umschwelt, tauchten sie wieder auf, metallisch leuchtende Tafeln in den Händen: sie hatten die Kunst gerettet und das Geschick gewendet.

Die Kunst und der Kampf des Menschen gegen das Schicksal vollziehen sich in Akten der absoluten, verantwortungslosen, Gott und dem Nichts sich anheimgebenden Freiheit. Ich habe diese Vermutung bestätigt gefunden, als ich, Jahre später, das größte Kunstwerk sah, das mir seit dem Ende des Krieges begegnet ist, den Film ›Fahrraddiebe‹ des italienischen Regisseurs Vittorio de Sica. Jeder kennt die Fabel: einem armen italienischen Arbeiter wird sein Fahrrad gestohlen, und die Jagd darnach, es wiederzuerlangen, endet bei einem armseligen, mißglückenden Versuch des Bestohlenen, sein soziales Problem dadurch zu lösen, daß er selbst ein Fahrrad stiehlt. Zwischen den Phasen des Handlungsablaufs ereignet sich im Gesicht des Menschen, den de Sica dazu von der Straße aufgelesen hat, das Wunder der Freiheit, in die er zuletzt hinabtaucht, als er, ein Gescheiterter, im Strom des Massenschicksals verschwindet. Es ereignet sich besonders dann, wenn er, seine Gehetztheit vergessend, sich seinem kleinen ernsten Sohn zuwendet, der ihn begleitet und führt. So lebt in der

geschnittenen Schärfe der italienischen Stadtland-
schaft das Wunder von Traum und Spiel, in einer
Photographie, die mich an die Fresken Signorellis
in Orvieto erinnerte, an die Trompete Louis Arm-
strongs, an die Sprache Ernest Hemingways, wenn
er den Stierkampf oder einen Markt in Venedig
schildert, an die mit rosafarbenem Staub überpuder-
ten Ruinen von Grosseto nach einem Bombenangriff.

»Buon viaggio« also wünschte mir der junge Italiener, der – ich erinnere mich jetzt – aussah wie
der Held de Sicas in jenem Film, und ich begann
meinen Marsch durch die Wildnis. Hinab ins Fluß-
tal, die zerzackten Felsen, die Hügel mit den Bäumen. Auf meiner Karte trug das Gebiet die Be-
zeichnung ›Campagna diserta‹. ›Diserta‹, dachte
ich, der gleiche Wortstamm wie ›désert‹, die Wüste,
also das richtige Gebiet für Deserteure. Deserteure
sind Leute, die sich selbst in die Wüste schicken.

Meine Wüste war sehr schön. Zu meinen Füßen
wuchsen Teppiche von gelben und violetten Blumen.
Der Duft von Thymian und Lavendel strich mit
dem Wind, der auch die goldrot prunkenden Fal-
ter trug, über die Hügel und verfing sich in den
hellblauen Blüten des Rosmarinstrauches und den
großen gelben Schmetterlingsblüten der Mastix-
pistazien. Die Sonne stand groß und golden und vom
Wind umspielt rund um den hellen Schatten, den
eine Pinie auf die Thymianheide warf. Wieder öffneten sich Talgründe mit Felsen und kalkweißen,

ausgetrockneten Flußläufen, an deren Ufer das Macchien-Gebüsch silbergrün starrte und schwieg. Ich stieg in die Täler hinab und hatte große Mühe, mir einen Pfad durch die Macchia zu bahnen. Der Schweiß brach mir aus allen Poren. Oft mußte ich das Seitengewehr zu Hilfe nehmen, um die dichten, zähen Gebüsch-Urwälder zu durchdringen, in denen die grün und silbern und lehmbraun sich windenden Schlangen und Eidechsen wohnten. Aber droben, auf den Höhen der tuskischen Campagna, traf ich wieder den kühlenden Wind, und ich legte mich auf die Blumen, und aß, wenn ich Hunger hatte, und sah auf den Kompaß und die Karte und suchte mit dem Blick den südlichen Horizont ab, an dem manchmal, und näher jetzt, das Kloster zu sehen war.

Aber fern im Osten standen die Berge des Apennin, hoch und edel im wildnishaften Glanz, und einsam wuchs weit noch vor ihnen, umlagert vom Heer der Höhen und Hügel, sonnentriefend und den Wind wie eine Fahne entfaltend, der Soracte, ritterlich und vulkanisch und tot, erhaben tot in der Melancholie dieses wilden, gestorbenen Landes, das wie jede Wildnis am Ende der Welt lag, am Ende des Lebens, und dort, wo unser Stern tot unter dem riesigen, leeren Himmel des Nichts hängt.

Am Spätnachmittag geriet ich an den Rand eines mächtigen Weizenfeldes, das sanft in ein Tal hinabfloß. Hinter den Bäumen am anderen Talrand konnte ich Häuser sehen, und ich vernahm das Geräusch rollender Panzer, ein helleres, gleichmäßigeres Geräusch, als ich es von den deutschen Panzern kannte. Ich hörte das klirrende Gejohl der Raupenketten. Die Töne klangen fern in der rötlichen Neigung des westlichen Lichtes. Darauf tat ich etwas kolossal Pathetisches – aber ich tat's –, indem ich meinen Karabiner nahm und unter die hohe Flut des Getreides warf. Ich löste die Patronentaschen und das Seitengewehr vom Koppel und ergriff den Stahlhelm und warf alles dem Karabiner nach. Dann ging ich durch das Feld weiter. Unten geriet ich noch einmal in die Macchia. Ich schlug mich durch, das dichte Dorngestrüpp zerkratzte mein Gesicht; es war ein schweres Stück Arbeit. Keuchend stieg ich nach oben.

In der Mulde des jenseitigen Talhangs fand ich einen wilden Kirschbaum, an dem die reifen Früchte glasig und hellrot hingen. Das Gras rings um den Baum war sanft und abendlich grün. Ich griff nach einem Zweig und begann von den Kirschen zu pflücken. Die Mulde war wie ein Zimmer; das Rollen der Panzer klang nur gedämpft herein. Sie sollen warten, dachte ich. Ich habe Zeit. Mir gehört die Zeit, solange ich diese Kirschen esse. Ich taufte meine Kirschen: ciliege diserte, die verlassenen Kirschen, die Deserteurs-Kirschen, die wilden Wüstenkirschen meiner Freiheit. Ich aß ein paar Hände voll. Sie schmeckten frisch und herb.

Alfred Andersch
im Diogenes Verlag

Theorie · Philosophie · Historie · Theologie
Politik · Polemik
im Diogenes Verlag

● **Alfred Andersch**
Öffentlicher Brief an einen sowjetischen Schriftsteller, das Überholte betreffend
Reportagen und Aufsätze. detebe 20398

Einige Zeichnungen
Graphische Thesen am Beispiel einer Künstlerin. Mit Zeichnungen von Gisela Andersch. detebe 20399

Die Blindheit des Kunstwerks
Literarische Essays und Aufsätze
detebe 20593

Ein neuer Scheiterhaufen für alte Ketzer
Kritiken und Rezensionen. detebe 20594

● **Angelus Silesius**
Der cherubinische Wandersmann
Ausgewählt und eingeleitet von Erich Brock. detebe 20644

● **Anton Čechov**
Die Insel Sachalin
Ein politischer Reisebericht. Aus dem Russischen von Gerhard Dick. detebe 20270

● **Ida Cermak**
Ich klage nicht
Begegnung mit der Krankheit in Selbstzeugnissen schöpferischer Menschen
detebe 21093

● **Raymond Chandler**
Die simple Kunst des Mordes
Briefe, Essays, Fragmente. Aus dem Amerikanischen von Hans Wollschläger
detebe 20209

● **Manfred von Conta**
Reportagen aus Lateinamerika
Broschur

● **Friedrich Dürrenmatt**
Theater
Essays, Gedichte und Reden. detebe 20855

Kritik
Kritiken und Zeichnungen. detebe 20856

Literatur und Kunst
Essays, Gedichte und Reden. detebe 20857

Philosophie und Naturwissenschaft
Essays, Gedichte und Reden. detebe 20858

Politik
Essays, Gedichte und Reden. detebe 20859

Zusammenhänge/Nachgedanken
Essay über Israel. detebe 20860

● **Meister Eckehart**
Deutsche Predigten und Traktate
in der Edition von Josef Quint. detebe 20642

● **Albert Einstein**
Briefe
Ausgewählt und herausgegeben von Helen Dukas und Banesh Hoffmann. detebe 20303

● **Albert Einstein &**
Sigmund Freud
Warum Krieg?
Ein Briefwechsel. Mit einem Essay von Isaac Asimov. detebe 20028

● **Ralph Waldo Emerson**
Natur
Essay. Neu aus dem Amerikanischen übersetzt von Harald Kiezka
Diogenes Evergreens

Essays
Herausgegeben und übersetzt von Harald Kiczka. Mit zahlreichen Anmerkungen und einem ausführlichen Index. detebe 21071

● **Federico Fellini**
Aufsätze und Notizen
Herausgegeben von Christian Strich und Anna Keel. detebe 20125

Neue deutsche Literatur
im Diogenes Verlag

Play Strindberg / Porträt eines Planeten
Übungsstücke für Schauspieler
detebe 20842
Urfaust / Woyzeck. Bearbeitungen
detebe 20843
Der Mitmacher. Ein Komplex. detebe 20844
Die Frist. Komödie. Fassung 1980
detebe 20845
Die Panne. Hörspiel und Komödie
detebe 20846
*Nächtliches Gespräch mit einem verachteten
Menschen / Stranitzky und der Nationalheld
Das Unternehmen der Wega*. Hörspiele
detebe 20847
Das Prosawerk:
Aus den Papieren eines Wärters. Frühe Prosa
detebe 20848
Der Richter und sein Henker / Der Verdacht
Kriminalromane. detebe 20849
Der Hund / Der Tunnel / Die Panne
Erzählungen. detebe 20850
*Grieche sucht Griechin / Mr. X macht
Ferien*. Grotesken. detebe 20851
*Das Versprechen / Aufenthalt in einer kleinen
Stadt*. Erzählungen. detebe 20852
Der Sturz. Erzählungen. detebe 20854
Theater. Essays, Gedichte und Reden
detebe 20855
Kritik. Kritiken und Zeichnungen
detebe 20856
Literatur und Kunst. Essays, Gedichte und
Reden. detebe 20857
Philosophie und Naturwissenschaft. Essays,
Gedichte und Reden. detebe 20858
Politik. Essays, Gedichte und Reden
detebe 20859
Zusammenhänge / Nachgedanken. Essay
über Israel. detebe 20860
Als Ergänzungsband liegt vor:
Über Friedrich Dürrenmatt. detebe 20861

● **Herbert Eisenreich**
Die Freunde meiner Frau. Erzählungen
detebe 20557

● **Heidi Frommann**
*Die Tante verschmachtet im Genuß nach
Begierde*. Zehn Geschichten. Leinen
Innerlich und außer sich. Bericht aus der
Studienzeit. detebe 21042

● **Felix Gasbarra**
Schule der Planeten. Roman
detebe 20549

● **Ernst W. Heine**
Kille Kille. Makabre Geschichten
detebe 21053

● **Eckhard Henscheid /
F.W. Bernstein (Hrsg.)**
Unser Goethe. Lesebuch. Zahlreiche Bild-
tafeln und Notenbeispiele. Leinen

● **Ernst Herhaus**
Der Wolfsmantel. Roman. Leinen
Die homburgische Hochzeit. Roman
detebe 21083

● **Wolfgang Hildesheimer**
Ich trage eine Eule nach Athen. Erzählungen.
Zeichnungen von Paul Flora. detebe 20529

● **Otto Jägersberg**
Der Herr der Regeln. Roman. Leinen
Cosa Nostra. Stücke. detebe 20022
Weihrauch und Pumpernickel. Ein west-
fälisches Sittenbild. detebe 20194
Nette Leute. Roman. detebe 20220
Der letzte Biß. Erzählungen. detebe 20698
Land. Ein Lehrstück. detebe 20551
Seniorenschweiz. Reportage unserer Zukunft
detebe 20553
Der industrialisierte Romantiker. Reportage
unserer Umwelt. detebe 20554
He he, ihr Mädchen und Frauen. Eine Kon-
sum-Komödie. detebe 20552

● **Norbert C. Kaser**
jetzt mueßte der kirschbaum bluehen. Gedichte, Tatsachen und Legenden, Stadtstiche.
Herausgegeben von Hans Haider. detebe 21038

● **Hermann Kinder**
Vom Schweinemut der Zeit. Roman. Leinen
Der helle Wahn. Roman. Leinen
Der Schleiftrog. Roman. detebe 20697
Du mußt nur die Laufrichtung ändern
Erzählung. detebe 20578

● **Bernhard Lassahn**
Land mit lila Kühen. Roman. Broschur
Dorn im Ohr. Das lästige Liedermacherbuch.
Mit Texten von Wolf Biermann bis Konstan-
tin Wecker. Herausgegeben und kommen-
tiert von Bernhard Lassahn. detebe 20617
Liebe in den großen Städten. Geschichten
und anderes. detebe 21039
Ohnmacht und Größenwahn. Lieder und
Gedichte. detebe 21043

● **Wolfgang Linder**
Steinschlag auf Schlag. Keine Liebesge-
schichten. Broschur

Die großen Unbequemen
in Wort und Bild
bei Diogenes

● **Arthur Schopenhauer**
Zürcher Ausgabe
Studienausgabe der Werke in zehn Bänden
nach der historisch-kritischen Edition von
Arthur Hübscher. detebe 20421–20430

● **Fritz Mauthner**
Wörterbuch der Philosophie
in zwei Bänden. detebe 20780

● **Albert Einstein &**
Sigmund Freud
Warum Krieg?
Ein Briefwechsel. Mit einem Essay von Isaac
Asimov. detebe 20028

● **Das Karl Kraus Lesebuch**
Ein Querschnitt durch die Fackel
Herausgegeben und mit einem Essay von
Hans Wollschläger. detebe 20781

● **Ludwig Marcuse**
Philosophie des Un-Glücks
detebe 20219

Das Märchen von der Sicherheit
Herausgegeben und eingeleitet von Harold
von Hofe. detebe 20303

Essays, Porträts, Polemiken
Gesammelt, ausgewählt und vorgestellt von
Harold von Hofe. Leinen

*Briefe von und an Ludwig
Marcuse*
Herausgegeben und eingeleitet von Harold
von Hofe. Leinen

● **Gustave Flaubert**
Briefe
Ausgewählt, kommentiert und aus dem
Französischen übersetzt von Helmut
Scheffel. detebe 20386

Bouvard und Pécuchet
Roman. Deutsch von Erich Marx
detebe 20725

● **Ernest Renan**
Das Leben Jesu
detebe 20419

● **Henry David Thoreau**
*Walden oder Leben in den
Wäldern*
Aus dem Amerikanischen von Emma
Emmerich und Tatjana Fischer. Vorwort von
W. E. Richartz. detebe 20019

*Über die Pflicht zum Ungehorsam
gegen den Staat*
Ausgewählte Essays. Herausgegeben, übersetzt und mit einem Nachwort von W. E.
Richartz. detebe 20063

● **Oscar Wilde**
*Der Sozialismus und die Seele des
Menschen*
Ein Essay. Aus dem Englischen von Gustav
Landauer und Hedwig Lachmann
detebe 20003

● **D. H. Lawrence**
Liebe, Sex und Emanzipation
Essays. Aus dem Englischen von Elisabeth
Schnack. detebe 20955